Bogotá, 1/05

VIOLENCIA Y LITERATURA EN COLOMBIA

Edición a cargo de
JOHNATHAN TITTLER

Editorial Orígenes
Tratados de crítica literaria

1.ª edición: ORIGENES, 1.989

Foto portada:
Diseño portada: Orígenes
Dibujo Portada: Wifredo Lam.
I.S.B.N.: 84-7825-006-9
D.L.: M-15356-1989
Impreso en España / Printed in Spain
Técnicas Gráficas, S.L.
Las Matas, 5 - 28039 Madrid

GLOSAS E INDAGACIONES

Jonathan Tittler
Cornell University

Esta introducción —valga la redundancia y la contradicción (signos inconfundibles de nuestra posmodernidad)— es una introducción y a la vez no es una introducción. En la medida en que intenta orientar al lector, describiendo y contextualizando los ensayos que siguen (todos ellos reconstrucciones de ponencias presentadas en el Cuarto Congreso Anual de la Asociación de Colombianistas Norteamericanos, celebrado en el recinto de Cornell University, Ithaca, Nueva York EE.UU., entre el 25 y 28 de abril de 1987), desempeña la consagrada función de las palabras preliminares. Pero en el sentido de que desvía del camino tantas veces recorrido e intenta emprender un diálogo crítico-cuestionador con los textos aquí recopilados, desborda su cajón genérico para convertirse en algo distinto, en un híbrido de identidad problemática. Quizá una reflexión de la heterogeneidad del volumen entero (no todos los artículos se concentran en el tema de la violencia, ni son todos ellos literarios propiamente dicho) o de la riqueza semántica del término rubricante mismo (ya que "violencia" tiene acepciones de fenómeno en el mundo y de manifestación artística, cuando no de aspecto del proceso artístico en sí), la vertiente doble de glosa y crítica es lo que más caracteriza el propósito del presente escrito.

Todos los autores aquí representados o son estudiosos norteamericanos especialistas en asuntos culturales colombianos (pues no otro es el componente central de antedicha asociación) o son reconocidas figuras culturales colombianas cuya participación se había solicitado explícitamente. De ninguna manera deben tomarse estos comentarios liminares como indicación de menosprecio por los conceptos expresados en los estudios reseñados. Son más bien una huella de inexorable inquietud cognitiva, rastro de una conciencia que anhela entrar en relación dialéctica con otros discursos, informándose y enriqueciéndose en el proceso. Es, además, una invitación tácita a que otras voces discursivas se lancen también a la arena, ya que no pretende (ni lo permite su brevedad) atajar posteriores indagaciones en este palpitante tema.

Los títulos de las secciones de esta colección aspiran a ser de valor puramente heurístico. Ayudan a ordenar y separar la materia conceptual ahí reunida, sin querer dominio exclusivo sobre los trabajos agrupados. Muchos estudios bien podrían haber aparecido bajo otro titular —el primer estudio, por ejemplo, el de Raymond L. Williams, que figura entre las "Nuevas visiones", versa sólidamente sobre narrativa colombiana. Pero su amplitud de enfoque y su afán de plantear cuestiones fundamentales para la problemática que enfrentamos pesan más que sus parentescos genéricos. Efectivamente, en "*Manuela:* La primera novela de 'La Violencia' ", Williams formula una tesis audaz sobre los orígenes del fenómeno socioliterario de la violencia. Alegando que sus parámetros temporales suelen definirse con excesiva estrechez, y valiéndose de ideas del teólogo y crítico Walter J. Ong, Williams señala en la novela de Díaz una relación conflictiva entre las culturas oral y escrita. Si esa dinámica es idéntica a una incipiente violencia, es el punto pivotal de su exposición. Lo que no se presta a discusión, sin embargo, es que el estudio, al recrear una época y una mentalidad enteras, rescata una importante novela colombiana del inmerecido olvido, infundiéndole nueva vida al descubrir una capa significante no previamente explorada.

En "De la novela *en* la violencia a la novela *de* la violencia: 1959-1960 (Hacia un proyecto de investigación)," Marino Troncoso explica el por qué y para qué de su programa de docencia e investigación. Consciente de la autonomía del mundo de los signos, pero hondamente comprometido con la realidad histórica de Colombia, plantea las bases para una tipología de la llamada "novela de la violencia" que fuera a la vez semiológico-formal e histórico-social. Fija como clave para su esquema el período 1959-60, ya que en esos años los escritores dejaron de vivir la violencia de manera inmediata y amenazadora. Por primera vez en más de una década pudieron asumir una postura menos asediada para narrar la violencia con arte. Por embrionaria que sea la empresa, su valor como marco teórico no puede exagerarse. Pero el reto que queda, el de llevar la teoría a la práctica, no es exiguo. El fijar como determinante un período de la historia reciente, en vez de un aspecto intrínseco literario, por ejemplo, demuestra la dificultad inherente en mantener una síntesis de la índole envisionada por Troncoso. Si hubiera que privilegiar uno de los términos en las actuales circunstancias, no obstante, colocar al referente anterior a la forma estética no puede menos de considerarse un acierto.

Tal vez el estudio más fuera de serie —en el mejor sentido de la expresión— es el del bibliotecario David Block, quien en "Tendencias contemporáneas en el mercado de libros colombianos" imparte una visión coherente y original del mundo libresco colombiano. Valiéndose de una cantidad impresionante de datos nuevos, Block retrata a Colombia como uno de los países hispanoamericanos más importantes en la imprenta y publicación de libros, pero lamentablemente falto de infraestructura con respecto a su distribución. En la segunda parte de su ensayo Block aporta un inventario muy actualizado de libros sobre la Violencia, fruto de una pesquisa minuciosa por un principal sistema *database* de los Estados Unidos. Esperamos con ilusión el informe sobre el cumplimiento de esa búsqueda por los tres restantes sistemas, el cual promete ser tanto un estudio definitivo del tema como un modelo de comunicación interdisciplinaria.

Los numerosos estudios sobre la obra de Gabriel García Márquez forman el núcleo del libro, tanto como del trabajo que se hace sobre literatura colombiana en general hoy día. El primero es "Hemingway y García Márquez: Tarde y temprano", de Aden W. Hayes. Ahí se examina la relación compleja e íntima entre dos narradores laureados de nuestro siglo. Evocando tanto la teoría "iceberg" de Hemingway como ciertos comentarios explícitos de García Márquez sobre su deuda para con éste en lo que al aspecto técnico del oficio atañe, el crítico elabora una interesante teoría de cómo un cuento anterior del norteamericano se transforma en otro cuento del colombiano. Bien se sabe que toda aseveración con respecto a influencias literarias es arriesgada; por eso se oye tanto de "estructuras paralelas" y otras formulaciones menos positivistas. Pero esa pega metodológica no anula el valor de la investigación escrupulosa y la lectura sensible que hace Hayes del poco estudiado relato garciamarquesino "La mujer llegaba a las seis".

Comparativa también es el estudio de John Benson, "El tema de la violencia en el periodismo de García Márquez: Epocas y enfoques diferentes", donde los objetos de comparación son las posturas del mismo autor frente al texto periodístico en su juventud (1948-55) y madurez (1974-84). Siguiendo la pauta de Jacques Gilard, Benson revela que en los textos de juventud las evocaciones del tema de la violencia son escasas y más bien veladas. Los artículos más recientes, por otra parte, tienden a tratarlo con la segurida, de un escritor consagrado, o sea, de manera explícita y extendida. Con esta fundación sólida, investigadores venideros tendrán que ver en qué medida es uniforme la presencia de la violencia dentro de las épocas delineadas. Una definición más ampllia de "violencia", que incluyera el acto de escribir y, sobre todo, de *violar* expectativas convencionales, también prestaría más relieve al análisis, e incluso podría llevar a una conclusión contraria a la de Benson.

"¿Amor? ¿Tiempo? ¿Cólera?" (erizado el título así con signos de interrogación), de Randolph D. Pope, es la historia de una lectura doble. La primera es hipotética y frustrada, y consiste en una serie de encuentros con una "técnica de folletín" y una conclusión "digna de Hollywood" en la novela más reciente de García Márquez. La segunda, urbana y refinada, trasciende las impresiones de superficie para apreciar la obra en sus tres dimensiones principales: la de ser un *Libro de buen amor* tropical, la de lucir tiempos plurales en colapso y —a través de la tensión emblemática entre el cólera y la cólera (peste e ira)— la de explorar la riqueza idiomática del asunto evocado. Basándose en gran medida en el intertexto de Oscar Wilde, *El retrato de Dorian Gray,* Pope señala tanto la gerontofilia como la eurofobia del gran narrador. Lo más discutible del trabajo es su digresión, gratuita y aleccionadora, por los vericuetos del ajedrez. En todo otro respecto el ensayo se manifiesta intachablemente lúcida y amena, dándole ganas a uno de volver a leer el jugoso fruto maduro que es *El amor en los tiempos del cólera.*

Los trabajos sobre *Cien años de soledad* tienen en común una insistencia en su aspecto ético-moral, por lo visto el flanco débil de la obra en sus relecturas más recientes. Juan Manuel Marcos ("Mujer y violencia social en *Cien años de soledad"*) ofrece un análisis de la situación de la mujer en la novela. Su lectura es muy apegada al texto y engloba la caracterización y el destino de un abanico de personajes que incluye tanto los más desarrollados(digamos Ursula Iguarán) como los meramente aludidos (el caso de Eréndira, protagonista de otro relato). Hurgando en el espacio entre los numerosos ejemplos de subyugación de las mujeres y la "impavidez fatalista" de la voz narrativa (identificada ésta con el autor de carne y hueso), Marcos pregunta si la obra no estará recomendando la prolongación de las injusticias sociales retratadas en la ficción. Retóricamente eficaz y éticamente recto, el ensayo a veces impide que el texto hable con toda su multiplicidad anecdótica (cosa que sospecho no ocurriría si se ampliara el análisis). En su parco estado actual, sin embargo, la tendencia a reducir la afilada neutralidad del discurso narrativo (no se puede, por ejemplo, caracterizar como simple lascivia los conflictivos sentimientos que abriga Aureliano por Remedios Moscote) conduce a una interpretación forzadamente misantrópica.

Adoptando un marco teórico de Northrup Frye, Gloria Bautista perfila en "El arquetipo femenino en *Cien años de soledad*" cómo ciertos personajes femeninos pueden entenderse como encarnaciones de modelos escleróticos impuestos por una sociedad patriarcal. Propone que hay sólo cuatro papeles principales para la mujer latinoamericana: el de madre, amante, esposa y solterona, y juzga el último el más dañino de todos. En el sentido de que se muestra insatisfecha con las opciones ofrecidas a la mujer en *Cien años de soledad,* Bautista se encuentra en consonancia con el anteriormente comentado artículo de Juan Manuel Marcos. No es cuestión de estar yo en desacuerdo ni de defender al autor de la novela, ya que la novela se defiende perfectamente por sí misma. Consta que es mucho más productivo y acertado ver cómo la novela entra en una dinámica recíproca con los arquetipos (cosa que Bautista reconoce cerca de su conclusión pero que no desarrolla) para proyectar una imagen de la mujer latinoamericana que, por hiperbólica que sea, no deja de ser reconocible y verosímil.

En "Los pergaminos de Melquíades y el texto de *Cien años de soledad*", William L. Siemens interpreta la novela como una alegoría del fallido intento hubrístico por parte de Melquíades a proyectarse fuera de su texto y a participar en una "metafísica de la presencia". La meditación es tanto novel como incitante.

Demuestra un conocimiento minucioso del texto y una familiaridad nada común con doctrinas teológicas que rebasan el campo del occidente. Intenta entablar un diálogo con los promotores de la apoteótica deconstrucción, evocando cuestiones candentes como "la muerte del autor" y "la desaparición del subjeto". Resulta problemático, no obstante, caracterizar al pensamiento de Derrida mediante la fórmula de que "no hay nada fuera del texto", como si el texto chèz Derrida fuera una presencia plena en sí y todo lo extratextural, de alguna manera menos sólida y estable. Gracias a Saussure sabemos que el lenguaje carece de elementos positivos; realiza su significación a través de términos en oposición diferencial. Lo que ha aportado Derrida al estructuralismo derivado de los hallazgos de Saussure es la dinamización del proceso de la significación. Ya no se considera el signo un objeto, repleto de dimensiones de significante y significado, sino una etapa en un devenir sin fin en el que cada significado hace las veces de significante para otro signo, sea lingüistico o no. El texto, en el sentido convencional del término, por lo tanto, nó es menos permeado de ausencia que el mundo. En efecto, la distinción entre texto y mundo es precisamente una de las fronteras que la deconstrucción logra poner en tela de juicio. Al equiparar "presencia" con "existencia", Siemens incurre una circularidad de razonamiento (pues si la existencia constituye o no una presencia es lo que se propone examinar). Convierte así a *Cien años de soledad* de una excepcionalmente elocuente tragedia moderna (ya que, a pesar de su insistente jocosidad, la novela finalmente niega trascendencia al quehacer humano) en una tardía lección en moral grecocristiana.

Uno de los propósitos primarios de los estudiosos de la literatura colombiana es derrocar el mito de que no hay en la narrativa colombiana nada de importancia ni antes ni después de García Márquez, misión que a menudo se olvida o se ignora fuera del país. Los ensayos sobre Gómez Valderrama, Cepeda Samudio y Caballero Calderón, por consiguiente, ocupan un puesto prominente en nuestra tarea divulgadora. Como indica el título del estudio de Yolanda Forero Villegas, "*La otra raya del tigre* de Pedro Gómez Valderrama: Discurso reestructurativo de la historia de la raza santandereana", la novela se analiza en términos retóricos, como un discurso dialógico (tanto de crónica como de leyenda) y como un acto de revisión y recreación históricas. La versión fictiva se postula como una lícita alternativa a las historias "objetivas" en la representación verídica de un personaje, un pueblo o un mundo entero. Hay que subrayar el particular uso del vocablo "raza", que se emplea aquí en el sentido de "origen" o "linaje", el que, pese a su excentricidad desde una perspectiva etnológica, goza de amplia aceptación. El sincretismo en este caso se manifiesta como el entroncamiento triple entre alemanes, españoles e indígenas, cuya historia es resumida de manera competente por Forero Villegas. Los límites del tratamiento se encuentran en la falta de aplicación del principio de la reestructuración a su propia discursividad, la obra crítica no siendo menos reconstructora de su objeto de escrutinio que el discurso fictivo. No puede menos, por lo tanto, de constituir una interpretación (o sea, una distorsión) del mismo, por "científico" que sea su acercamiento. Lo mismo tiene que decirse, claro está, del gesto metacrítico aquí inscrito, cuya principal razón de ser no es otra que cultivar una autoconciencia afilada en la crítica primaria.

Bajo el lacónico título de "Alvaro Cepeda Samudio" Germán Vargas ofrece un texto que en realidad son dos textos temáticamente afines, el más antiguo (por unos trece años) complementariamente imbricado en el más reciente. Sin pretensiones de erudición o de agotamiento del tema, el periodista costeño hace destacar, en la primera parte, el tema de la violencia en los tres libros publicados de Cepeda Samudio, cuya importancia para la literatura colombiana puede parecer inversamente proporcional a la cuantía de su obra. Luego, en el texto incrustado, provee anécdotas y datos tocantes a la vida y obra de su íntimo y distinguido amigo, aludiendo al legendario Grupo de Barranquilla (del que fue Vargas —con Alfonso Fuenmayor, Ramón Vinyes, García Márquez y Cepeda Samudio— miembro íntegro). Asimismo se relatan allí aventuras editoriales y matrimoniales del joven autor, entre otros detalles deleitosos. El informe encarna el valor de todas las crónicas de testigo presencial. Pero esa valía virtual se realiza y se agrandece aquí por la ecuanimidad, honradez y picardía que caracterizan la producción del renombrado comentarista cultural de *El Heraldo* de Barranquilla.

En "Caballero Calderón: Autor en busca de personaje" Kurt L. Levy, pionero en estudios colombianos y padre espiritual de la generación actual de Colombianistas, intenta rescatar del anonimato de las "etcéteras" una buena cantidad de novelas del premiado novelista Eduardo Caballero Calderón. Según Levy debido al exagerado impacto del "boom" de la novela hispanoamericana de la segunda mitad de este siglo— obras como *Manuel Pacho, Memorias infantiles, El Cristo de espaldas, El buen salvaje* y *Caín,* entre otras, no se leen hoy con la frecuencia ni el aprecio que merecen. Como sugiere su título pirandelliano, Levy se concentra en la capacidad de Caballero para la caracterización dinámica y creíble, la que, dentro de un marco de sobriedad, disciplina y buen gusto, forma el meollo de su arte narrativo. La solidez de la investigación, su claridad de exposición y el entusiasmo contagioso del veterano estudioso combinan para hacer del trabajo un modelo paradigmático de aproximación general a la novelística de uno de los principales escritores colombianos de corte realista de nuestra época.

Sobriedad y buen gusto son dos nociones que se convierten en valores relativos, según James J. Alstrum en "La función iconoclasta del lenguaje coloquial en la poesía de María Mercedes Carranza y Anabel Torres". Alstrum se ocupa de las dos jóvenes poetas colombianas nombradas, cada una con su propia visión y voz. En el caso de Carranza, el lenguaje es patentemente transgresivo y desafiante, llegando hasta el prosaismo y el disfemismo. Torres tiende, a su vez, hacia lo lúdico y lo confesional, no descartando la ternura, aunque esté teñida de amargura o desolación. Las dos manifiestan un profundo desacuerdo frente a las estructuras patriarcales de la sociedad colombiana, y buscan alternativas poéticas que resulten universales sin caer en otra forma de hegemonía. El análisis sociolingüístico de Alstrum logra penetrar en la textura lírica de ambas poetas y revela una gran comprensividad para con la condición de la mujer contemporánea, y sobre todo la de la mujer escritora. Huelga decir que el estudio demuestra funciones lingüísticas que van más allá del inconoclasmo (véanse la afirmación de la identidad y el intrínseco valor psicológico y estético del juego en la obra de Torres, por ejemplo). En este sentido el estudio de Alstrum, menos iconoclasta que ironista, resulta ser aun mejor —más rico y matizado— que indica su propio título.

"Tiempo, vida y muerte en la poesía de José Asunción Silva", de Rafael Escandón, es un estudio temático que propone una continuidad entre la vida-muerte de Silva, el malogrado hombre, y su obra. Toca los versos principales del mitificado poeta y demuestra un conocimiento de las antologías e historias literarias fundamentales al respecto. Hay una notable compenetración con la sensibilidad del escritor, y aquélla permite que se capte lo trágico de su visión y que se comunique una gran apreciación por su capacidad lírica.

De lo trágico y sublime pasamos a lo vulgar y cursi, el desolado horizonte cultural que contempla Azriel Bibliowicz en "Colombia: Un país de telenovelas". Aplicando teorías de Pedro Henríquez Ureña y Walter Benjamín, Bibliowicz observa que el dominio de las formas culturales de masas está aplastando tanto el verdadero arte popular como el arte culto. En lugar de lo claro y espontáneo del arte folclórico o la profundización y matización del arte para iniciados, la televisión impone un producto rentable y repetible sin límite. Sobre esta base sociológica Bibliowicz confecciona un informe acerca de la telenovela "literaria" colombiana que descubre los pelos y señales del sistema televisivo, el que produce grandes tensiones ideológicas que conducen a constantes concesiones de tipo artístico, cuando no a la censura o autocensura de los guionistas. Sus productos emiten un homogeneizado mensaje, subliminalmente político, de que la única arma contra la estratificación social es el amor. Parecería, entonces, que Colombia correspondiera al retrato clásico de un país librecambista dependiente, con poca legítima movilidad social. Sería interesante ver en qué medida el iluminador estudio fuera aplicable a un país socialista como Cuba, por ejemplo, donde vender detergente no es el *sine qua non* de los medios masivos, o a un país como Costa Rica, con menos problemas de mercado negro y una clase media más asentada que la colombiana. Intuyo que las diferencias serían menos notables que las teorías darían a entender, o sea, que el poder banalizador y trivializador de la "caja idiota" no depende tanto ni de modelos económicos ni de calcificación social como de una falta de armas analíticas por parte de la población general y, en últimas, de una falta de voluntad individual para resistir los seductivos mitos que allí se fomentan.

Nadie se sorprenderá al leer, en "Enrique Buenaventura y el teatro colombiano" de George Woodyard, que "Buenaventura ha establecido la norma para el teatro colombiano contemporáneo". No se trata de sorpresas sino de un admirable trabajo sintético que localiza al destacado dramaturgo en su contexto más inmediatamente significativo. De acuerdo con Eduardo Gómez, Woodyard explica cómo Buenaventura ha sido el más responsable por la internacionalización del teatro colombiano, a la vez que por su plasmación como teatro nacional. A través de él han entrado las ideas de Brecht, Artaud y (mediante el japonés Seki Sano) Stanislavski para constituir un drama propio, menos convencional y jerarquizado, y más documental, egalitario, espontáneo y autoconsciente que el de la época pre-Buenaventura. El acercamiento de Woodyard es mayormente biográfico. No rehuye las opiniones de algunos detractores de Buenaventura que, como figura teatral clave y hombre extrovertido y politizado, siempre suscita controversia. Al breve resumen que proporciona el crítico de las teorías de Buenaventura no le falta sino una elaboración del autor mismo, la cual le sigue sin solución a continuidad.

Puede parecer extraño que, en "Teatro y literatura", un dramaturgo célebre como Enrique Buenaventura cuestione la supremacía del texto literario entre los numerosos textos sonoros y visuales teatrales. Hay que recordar que es un *hombre del teatro* en el sentido más pleno del término y que sus intereses y conocimientos no se limitan al aspecto autorial. Puede abogar, por lo tanto, por una suerte de espectáculo colectivo en el que el actor participa de manera sistemática en el proceso creador de la dramaturgia, llegando a ser el "escritor del texto de la puesta en escena". Alegando que el teatro actual está en crisis, de la que el empobrecido concepto tradicional del teatro será una causa principal, Buenaventura señala fechas relativamente recientes para el origen del actual lugar sacrosanto del texto literario teatral. Harto novedoso para los que siguen el desarrollo del pensamiento de Buenaventura será su aseveración de que el motivo por su modelo no es sociológico sino puramente estético. Asimismo, su pleito no es más con los teatros capitalistas que con los socialistas; es con los convencionales, tanto comerciales como estatales, que impidan el crecimiento sano de los grupos y públicos teatrales. Como microcosmos social, sin embargo, estas hipótesis lucen un valor simbólico que difícilmente podría ser más claro. El discurso de Buenaventura es polémico y está lleno de elisiones no explicitadas, como "occidente" y "colonialismo", "oposición" y "creación" o "autoridad" y "tiranía". Reconocer esto no significa, por cierto, que sus teorías no tengan elegancia, ni decirlo equivale a restarles validez.

En la última sección del libro aparecen dos monólogos que distan lo más posible de la literatura en su acepción de texto ficticio. Son comunicaciones entregadas por dos personas que han dedicado su vida al servicio público y que conocen la realidad colombiana en su dimensión oficial desde muy adentro. Fernando Hinestrosa, que entre muchos otros puestos gubernamentales ha ocupado el de Ministro de Justicia, en "La administración de justicia en Colombia" describe el sistema jurídico de la nación, que además de ser una herencia de la colonia española, debe mucho al positivismo inglés, al derecho europeo continental y a la Constitución norteamericana. La imagen que proyecta Hinestrosa en la primera parte es la de una república constitucional con una división del poder entre el Gobierno, el Congreso y la Corte. Dentro del esquema las corporaciones judiciales gozan de una autonomía notable e incluso, en el caso del Consejo de Estado, influyen en el Gobierno de manera considerable. En la segunda mitad del informe, sin embargo, Hinestrosa pasa de las abstracciones a la realización y perfila cándidamente algunas de las graves dificultades que impiden la ecuánime administración de justicia en Colombia. Son problemas de toda organización compleja y falta del necesario apoyo económico. Pero se han agravado de manera apabullante en los últimos años, cuyo bárbaro clímax quizás hayan sido los trágicos sucesos en el Palacio de la Justicia en noviembre de 1985, en los que perecieron once magistrados. La enumeración de defectos y obstáculos es impactante, y el acto de relatarlos no carece de valentía. En el contexto de lo narrado, sin embargo, es difícil entender de dónde sale la confianza que expresa Hinestrosa en el poder colombiano para superar impedimentos. Las cuestiones se han definido, pero las soluciones ni siquiera se esbozan. Es de lamentar que el formato de ponencia breve que se impuso en el simposio hubiera imposibilitado que se entrara en detalles más concretos.

La segunda ponencia no literaria, "El proceso de la paz en

Colombia: La lucha contra la violencia'', de Otto Morales Benítez, es la desgrabación de una conversación que mantuvo éste con los profesores J. León Helguera y Raymond L. Williams. En ella el renombrado estadista liberal hace constancia de sus amplios conocimientos con respecto a la realidad política de Colombia. Ensaya la historia de su país en cuanto al tema de la violencia, haciendo hincapié en el papel preponderante de la Constitución de 1886, el dominio conservador hasta 1930, el arrecimiento de la violencia en 1946, la dictadura de Rojas Pinilla y la política hacia apaciguamiento de Alberto Lleras Camargo. Con referencia a la situación presente, Morales Benítez ofrece valiosas perspectivas sobre la relación entre violencia y narcotráfico, insertando este fenómeno en el contexto de una delincuencia general y de un terrorismo oficial que nadie ha querido admitir. Subraya la falta de claridad en la situación y en los planteamientos de todos los estudiosos de la violencia, sean investigadores académicos, políticos o militares. Para compensar esta carencia, Morales Benítez concluye su presentación con una lista de sugerencias, larga y sustanciosa, que pudieran conducir a una amelioración de las acuciantes circunstancias vigentes en la actualidad colombiana.

En suma, los ensayos que recopilamos aquí no pretenden analizar el fenómeno de la violencia (o de la Violencia) ni desde un ángulo consistente ni de una forma sistemática. Son las memorias de un acto colectivo que representa la actividad investigadora que actualmente se está llevando a cabo y, cuando menos, reconoce la extraordianria riqueza cultural de este país tan controvertido. Que no haya habido suficiente atención prestada a ciertas figuras (que no empiezo a nombrar porque sería cosa de nunca acabar) es cierto, pero es también tanto inevitable como irrelevante a nuestros propósitos. En otros simposios y otros libros, tarde o temprano, esperamos llegar a enfocarnos debidamente en las cuestiones, obras y autores que en este tomo brillan sólo por su ausencia.

No queda más por ahora, que agradecer a todos los participantes en el simposio su amabilidad por haberme proporcionado los textos aquí reunidos. Su trabajo es, huelga decir, la espina dorsal de este proyecto. Quiero expresar mi sincera gratitud también a Eugenio Suárez-Galbán, editor tanto original como comprensivo, y a Lynn y Lules Kroll, cuya generosidad y apoyo moral han contribuido de manera palpable a la realización del libro. Y, finalmente, reconozco a mi querida esposa, Sue, cuyos constantes esfuerzos por ahuyentar la violencia de nuestra vida me han permitido sostener esta labor hasta su conclusión.

J.T.

MANUELA: LA PRIMERA NOVELA DE "LA VIOLENCIA"

Raymond L. Williams
University of Colorado

Si hay un género colombiano más mediocre y tedioso que la novela de La Violencia, probablemente es la crítica sobre "La novela de La Violencia". Entre las pocas excepciones novelísticas figuran *El día señalado* de Mejía Vallejo, *El jardín de las Hartmann* de Jorge Eliécer Pardo, *Cóndores no entierran todos los días* de Alvarez Gardeazábal y algunas novelas de Caballero Calderón. El discurso crítico se ha limitado básicamente a descripciones temáticas de las cincuenta y tantas novelas de la Violencia que Gerardo Suárez Rendón y otros espíritus afines han catalogado en sus estudios sobre el tema.[1] El libro de Suárez Rendón, como los otros trabajos sobre la novela de La Violencia, parte de la suposición de que La Violencia, y por lo tanto la novela de La Violencia, data del 9 de abril de 1948. Algunos historiadores han mostrado que esa violencia del año 48 tiene su génesis en los años treinta en la región de Caldas.[2] No obstante, hay que tener en cuenta las raíces decimonónicas del fenómeno contemporáneo de la Violencia, como han señalado algunos estudios recientes. En un libro sobre la política latinoamericana, Daniel H. Levine observa lo siguiente sobre las raíces decimonónicas de la situación actual: "Thus the traditional political parties in Colombia, Liberal and Conservative, retain the structural forms of nineteenth-century politics: they are still rather loosely organized electoral alliances, run at the top by competing elite lineages and drawing support in different regions on a basis of enduring local and seig-

[1] Gerardo Suárez Rendón, *La novela sobre la violencia en Colombia* (Bogotá: Luis F. Serrano, 1966).

[2] Alonso Aristizábal, *Un pueblo de niebla* (Bogotá: Ediciones Vórtice, 1976), y *Una y muchas guerras* (Bogotá: Planeta, 1985).

neurial loyalties".[3] Otto Morales Benítez también ha planteado que los importantes cambios del orden señorial pertencecen al siglo diecinueve. Orlando Fals Borda, en su estudio sobre la subversión en Colombia, comienza no en los años treinta, sino precisamente en la época en que escribía Eugenio Díaz, a mediados del siglo pasado.[4] En el presente breve trabajo se propondrá que *Manuela* de Eugenio Díaz, como documento literario de conflictos ideológicos y de esa subversión de que ha hablado Fals Borda, debe considerarse como la primera verdadera novela de La Violencia.

La posición de la crítica ante *Manuela* ha sido bastante ambigua. Las historias de las novelas hispanoamericanas frecuentemente la pasan por alto, y así es el caso de la historia de la novela hispanoamericana de Fernando Alegría y de las nuevas lecturas de la novela hispanoamericana del siglo diecinueve de John S. Brushwood.[5] No obstante, en 1915 el crítico español Julio Cejador y Franco proclamó que *Manuela* fue "la más fiel copia de la realidad por el arte y la más acabada de cuántas se han escrito en América".[6] En su estudio clásico de la novela romántica en Hispanoamérica, Marguerite Suárez mantiene que *Manuela* y *María* son las dos novelas sobresalientes del romanticismo en Colombia y América Latina.[7] Por otra parte, los críticos colombianos

---

[3] Daniel H. Levine, *Religion and Politics in Latin America* (Princeton: Princeton University Press, 1981), p. 58. Una fuente fundamental sobre la política colombiana del siglo diecinueve es Helen Delpar, *Red Against Blue: The Liberal Party in Colombian Politics: 1863-1899* (University, Alabama: University of Alabama Press, 1958). Para un estudio sobre el contexto político inmediatamente anterior a la novela de Díaz, véase Joseph León Helguera, "The First Mosquera Administration in New Granada, 1845-1849" (Ph. D. Dissertation, University of North Carolina, 1958).

[4] Orlando Fals Borda, *Subversion and Social Change in Colombia* (New York and London: Columbia University Press, 1969).

[5] Fernando Alegría, *Nueva historia de la novela hispanoamericana* (Hanover: Ediciones del Norte, 1986); John S. Brushwood, *Genteel Barbarism: New Readings of Nineteenth Century Spanish-American Novels* (Lincoln and London: University of Nebraska Press, 1981).

[6] Antonio Gómez Restrepo cita a Cejador y Francia en *La literatura colombiana* (Bogotá: Ediciones Colombia, 1926), pág. 20.

[7] Marguerite Suárez Murias, *La novela romántica en Hispanoamérica* (New York: Hispanic Institute in the U.S., 1963).

en general no han considerado que *Manuela* sea una novela romántica.[8] Antonio Curcio Altamar, por ejemplo, coloca esta novela en el capítulo posterior a los románticos, describiéndola como novela costumbrista.[9] Seymour Menton tampoco la ve como novela romántica: "Eugenio Díaz no capta el espíritu aventurero del romanticismo, no crea el suspenso y parece tratar con la mayor brevedad los momentos más dramáticos para poder volver a las descripciones y a los diálogos costumbristas y socio-políticos".[10]

El contexto político del período de *Manuela* fue complejo y también reflejaba la influencia de ideas políticas románticas. En su estudio reconocido sobre el pensamiento colombiano del siglo diecinueve, Jaime Jaramillo Uribe nota la presencia del pensamiento romántico y utópico: "Los años comprendidos entre 1850 y 1870, que verán surgir en la Nueva Granada una frondosa literatura política de carácter romántico y utópico, están marcados por una ascendente influencia francesa en la cultura nacional".[11] Jaramillo Uribe también señala que la revolución francesa de 1848 trajo a Colombia una serie de ideas heterogéneas.[12] En términos generales, la Colombia de los años cincuenta del siglo pasado miraba más hacia Francia y el mundo anglo-sajón que a su propia herencia española. (En este sentido algunas ideas de don Demóstenes en *Manuela* son típicas de la época).

Manuela aparece en 1858, precisamente durante una época de intensos conflictos ideológicos, pero se trata de un período en que las ideologías liberales predominan. Desde aproximadamente 1850 hasta 1886 el Partido Liberal estuvo en el poder en Colombia, comenzando con reformas tentativas y encontrando oposición notable en los años cincuenta, pero afirmando su poder con

---

[8] Rafael Maya, "Aspectos del romanticismo en Colombia", y "La *Manuela* y el criollismo colombiano" en *Obra crítica* (Bogotá: Banco de la República, 1977) y Oscar Gerardo Ramos, *De Manuela a Macondo* (Bogotá: Instituto Colombiano de Cultura, 1972).

[9] Antonio Curcio Altamar, *Evolución de la novela en Colombia* (Bogotá: Instituto Colombiano de Cultura, 1975), págs. 117-131.

[10] Seymour Menton, *La novela colombiana: planetas y satélites* (Bogotá: Plaza y Janés, 1977), pág. 97.

[11] Jaime Jaramillo Uribe, *El pensamiento colombiano en el siglo XIX* (Bogotá: Editorial Temis, 1982), pág. 158.

[12] Jaramillo Uribe, pág. 195.

la famosa Constitución de 1863. De esta forma el liberalismo colombiano inscribió lo que Charles Bergquist ha llamado "their own Liberal world view into the Constitution of 1863".[13] El escenario político resultante en la segunda mitad del siglo diecinueve se caracterizó por el conflicto entre la ideología liberal y la realidad socio-política colombiana, como ha explicado Bergquist:

> Imbibing an integral world view which had become dominant in the industrializing nations of the West. Liberals ultimately sought to write into law a philosophy of man and society fundamentally at odds with the structure of the society they lived in —a society their conservative opponents cherished and fought to maintain.[14]

Fundamentalmente, Orlando Fals Borda coincide con la exposición de Bergquist sobre las ideas "utópicas" del siglo pasado.[15] Tal como ya se ha sugerido, un aspecto importante del conflicto ideológico durante este período fue no sólo el predominio de las ideas liberales sobre las conservadoras, sino también las diferencias entre los distintos grupos liberales. *Manuela* gira alrededor de dos de tales grupos, los *gólgotas* y los *draconianos.* Los *gólgotas* representaban la facción más liberal, que según Fals Borda eran los utópicos.[16] Los *draconianos,* más conservadores, eran los viejos liberales.[17]

Demóstenes, el protagonista de *Manuela,* es un intelectual bogotano que llega a un pueblo de provincia y que representa al grupo más progresista de los liberales, es decir, los gólgotas. Se lo caracteriza desde el primer capítulo y a lo largo de la novela, sobre todo, como hombre de letras. Se encuentra con la no letrada Manuela, quien ha sido perseguida por don Tadeo, un draconiano. Los avan-

[13] Charles Bergquist, *Coffee and Conflict in Colombia, 1886-1910* (Durham, N.C.: Duke University Press, 1978).

[14] Bergquist, pág. 11.

[15] Fals Borda discute estas ideas utópicas en *Subversion and Social Change in Colombia.*

[16] Fals Borda, pág. 81.

[17] Fals Borda, pág. 81. El trabajo ya citado de Helen Delpar contiene una descripción completa de los gólgotas y los draconianos. Véase especialmente el primer capítulo, "The Origins of Colombian Liberalism: A Backward Glance".

ces amorosos de Tadeo van acompañando su intervención en la relación que Manuela quisiera tener con Dámaso. La trama de *Manuela* gira alrededor de la presencia de Demóstenes en las zonas rurales de Cundinamarca y sus observaciones sobre la relación entre Manuela, don Tadeo y Dámaso. Aparecen algunas escenas costumbristas y diálogos extensos entre Demóstenes y otros, generalmente sobre temas políticos. La novela termina con la muerte de Manuela en el incendio de que tiene responsabilidad don Tadeo y que ocurre el día de su matrimonio con Dámaso, precisamente el 20 de julio.

En la novela se expresa el conflicto ideológico de distintas maneras, suficientemente como para que el crítico Antonio Curcio Altamar concluyera que Díaz "no hizo otra cosa que presentar en *Manuela,* y de modo muy parcial, la lucha ideológica del país entablada en un lejano pueblo y en los trapiches de las regiones calentadas de Colombia".[18] Los tres medios principales de expresar el conflicto ideológico en esta novela y en la Colombia de mediados del siglo pasado son los siguientes; 1) por medio de las largas discusiones políticas del protagonista; 2) por medio de la caracterización; e implícitamente 3) por medio del comentario de lo que Booth llama el autor implícito. El primero de estos vehículos, las discusiones políticas por parte del protagonista, se emplea desde el principio de la novela. Por ejemplo, desde el comienzo de la obra, cuando don Demóstenes entabla una converción con un cura (capítulo III), plantea claramente sus principios liberales respecto a la iglesia. A veces dichas declaraciones hasta llegan a la ingenuidad; por ejemplo, la escena en que vemos su discurso liberal como reacción ante la persecución de Manuela: "¿Qué será de la justicia, de la libertad, de la seguridad, si tal sucediese? ¡Oh Manuela! no desconfíes de los principios".[19]

La caracterización de cada uno de los personajes principales subraya, ante todo, la dimensión ideológica de éstos. Por consiguiente, todos los personajes principales representan una posición política. Al presentar a los personajes en el capítulo XV, el narrador clarifica las posiciones políticas de los mismos así como su

---

[18] Curcio Altamar, pág. 125.

[19] Eugenio Díaz, *Manuela* (Medellín: Bedout, 1978), pág. 20. Todas las citas son de esta edición.

propia función ideológica como relator de historias ("Storyteller"):

> Era aquel congreso verdaderamente notable, porque en él estaban representados no sólo los dos partidos de la parroquia, sino todos los matices políticos que existían en la Nueva Granada. Don Blas y el cura eran conservadores netos, y don Manuel conservador mixto. Don Cosme y don Eloy liberales y don Demóstenes, radical. (p. 186)

Además de los largos diálogos de contenido político y las caracterizaciones obvias como ésta, se nota la presencia de un "implied author" cuya posición ideológica el lector puede formular: esta entidad ficticia es esencialmente un liberal, pero con actitudes críticas ante don Demóstenes y don Tadeo, el gólgota y el draconiano.

La importancia de las afirmaciones ideológicas es particularmente evidente en la estructura interna de los capítulos. Un procedimiento común en *Manuela* es el de comenzar los capítulos con titulares y párrafos introductorios que parecían indicar una intención romántica o costumbrista, pero que luego enfocan asuntos ideológicos. Por ejemplo, el capítulo XIV comienza con el título romántico de "Lo que puede el amor", pero termina con una discusión política. El capítulo XXIV tiene el título "El San Juan" y comienza con la típica escena costumbrista, pero después de un breve pasaje descriptivo, todo el capítulo consta de una discusión del sistema de leyes y justicia en la naciente república.

Los elementos significativos en *Manuela* no son los del romanticismo o del costumbrismo, sino los que componen la dinámica que Walter Ong ha señalado entre la cultura oral y la cultura escrita. Estos elementos son, a su vez, los vehículos de los encuentros ideológicos en *Manuela.* En este contexto, don Demóstenes funciona como el intelectual bogotano por excelencia que representa la cultura escrita: sus percepciones, sus modos de pensar y su visión del mundo son completamente determinados por los textos escritos. En contraste, Manuela representa la cultura oral o, para ser más preciso, lo que Ong ha identificado como una cultura oral primaria.[20] Ella ve todas las situaciones de una forma

[20] Walter Ong describe las características de las culturas orales primarias en

completamente distinta de la cultura escrita de don Demóstenes.

Se presenta a don Demóstenes desde el primer capítulo como un individuo que representa la cultura escrita. El capítulo entero plantea el conflicto entre la cultura escrita y la cultura oral. Al llegar a la posada, Demóstenes se caracteriza como lector: está leyendo una novela de moda, *Los misterios de París,* y se lleva en su baúl "los libros y la ropa" (notamos el orden en que estos dos elementos aparecen). Sigue leyendo a lo largo de su estadía en la posada y cuando encuentra un libro usado lo hojea y proclama "¡Oh Gutenberg! ¡hasta aquí llega tu sublime descubrimiento!" (p. 14). Este "aquí", entonces, sí contiene algunas señales de la cultura escrita, pero la sorpresa por parte de Demóstenes indica que "aquí" no es predominantemente una cultura escrita.

En el segundo capítulo hay más indicios de la diferencia entre la cultura escrita de don Demóstenes y el escenario local: "Embebido don Demóstenes en sus libros, no había hecho caso del movimiento que había en la calle, en donde se saludaban los estancieros de los partidos, o se paseaban en compañía" (p. 17). También se nota en este capítulo que un elemento fundamental de la cultura escrita de la nación, *El Tiempo,* no llega a este pueblo desde Bogotá. En contraste, la cultura local recalca los saludos personales, el contacto humano, la música folklórica y otras costumbres típicas de una cultura oral primaria. Cuando sus enemigos detienen a don Demóstenes en el capítulo XVII, no se lo llevan a él, apropiadamente, sino sus libros. Completamente imbuido en la cultura escrita, Demóstenes constantemente ve la escritura como solución a todo.

Manuela, en cambio, representa la cultura oral y en este sentido aparece en la novela en oposición a Demóstenes. Uno de los pasajes más apropiados de la novela, tanto por su visión de cultura oral como por su dicción (menos afectada por el lenguaje escrito que Demóstenes), aparece en una conversación con Demóstenes. Este hace una afirmación ante la cual ella responde: "Sí, señor, una cosa es cacarear y otra poner el huevo; por eso que no les creo a los que hacen mucho alboroto" (p. 124). En este pasaje ella demuestra la sensatez ("common sensical attitudes")

---

el tercer capítulo, "Some Psychodynamics of Orality", de su *Orality and Literacy (1982).*

y la percepción homeostática que Ong ha señalado como esenciales a las culturas orales. Como sujeto de una cultura oral, ella no comprende las "historias" que don Demóstenes le explica: "¿Qué es eso de historia? ¿Las historias no son los cuentos? ¿Usted tenía cuentos encima de la mesa?" (p. 312).

La dinámica entre la cultura oral y la cultura escrita se desenvuelve en la forma del conflicto constante entre estos dos personajes a lo largo de la novela. Cuando este conflicto surge directamente, don Demóstenes frecuentemente es inferior a Manuela, a pesar de su educación formal superior. El narrador explica, por ejemplo, que la voz dulce de Manuela puede comunicar ideas mejor que los alumnos de retórica, representantes por excelencia de la cultura escrita:

> La voz de Manuela era dulce y sus frases tenían la fuerza y los adornos de locución de las hijas de los llanos del Magdalena, que expresan mejor una idea que los estudiantes de retórica de los colegios... (p. 89).

En otro enfrentamiento entre estas dos culturas, don Demóstenes se encuentra con unos campesinos y habla brevemente con ellos, mostrando bondad y respeto. No obstante, los campesinos sospechan de las ideas de la cultura escrita, usando su sentido común para distinguir entre ideas abstractas y actos concretos: "Este cachaco está siempre hablando de la igualdad" (p. 105). Las diferencias entre las dos culturas aparecen en uno de los pasajes más entretenidos de la novela cuando dos Demóstenes intenta comunicarse con los habitantes locales durante unas fiestas (capítulo XXII, "El Angelito"). En una conversación entre Demóstenes y un indio, es aparente que el vocabulario (escrito) de don Demóstenes es incomprensible para el indio:

> —¡Hombre! ¿qué te pareció el baile?
> —El baile, buenísimo, mi amo -le contestó el indígena.
> —Pero, ¿no te pareció que todas estas son aberraciones?
> —*Herraciones,* mi amo, *herraciones.*
> —Porque ¿a qué viene este baile profano?
> —Profano, mi amo. (p. 321)

Más adelante en el mismo capítulo el diálogo continúa; don

Demóstenes intenta imponer una posición ideológica a un veterano (no letrado) de una guerra civil. Demóstenes habla primero:[21]

> —¿Por quién exponías tu vida en el año de 54?
> —Por mi coronel Ardila.
> —¡No, hombre! La vida, la hacienda y el honor se empeñaban el año 54 por salir de los revolucionarios que quebrantaron la Constitución; más claro, por defender los derechos del pueblo por eso fue que se levantó en masa toda la república. (p. 324)

A medida que el ingenuo don Demóstenes va adquiriendo experiencia en la vida cotidiana de la Colombia rural de los años cincuenta del siglo pasado, éste va comprendiendo las diferencias entre la Colombia que conoce en forma escrita —las leyes y la Constitución— y la nación radicalmente distinta que representa la cultura oral en las partes rurales del país:

> Yo creía cándidamente que todas esas leyes que se dan en el congreso y todos esos bellísimos artículos de la Constitución eran la norma de las parroquias, y que los cabildos eran los guardianes de las instituciones; pero estoy viendo que suceden cosas muy diversas de lo que se han propuesto los legisladores... (p. 218)

Aunque no hay una resolución completa al conflicto entre la cultura oral y la cultura escrita, el pasaje citado sugiere algunos cambios por parte de don Demóstenes, distanciándose por fin de una imagen de la realidad colombiana basada exclusivamente en los textos escritos. El desenlace de la novela también indica ciertos cambios de parte suya. Decide marcharse para Bogotá, dándose cuenta de que su mera presencia representa una anomalía: ''Puesto que quieren matar a pesadumbres a Manuela, como mataron a Rosa, mi deber es alejarme para quitarles pretextos. Me voy mañana para Bogotá'' (p. 436). El cura con quien

---

[21] Seymour Menton ha notado las semajanzas entre este diálogo y un diálogo en *Los de abajo.* Esta comparación es válida. Yo agregaría que el humor surge del conflicto entre la cultura oral y la cultura escrita. Véase Menton, *La novela colombiana: planetas y satélites* (Bogotá: Plaza y Janés, 1977).

éste habla considera que su experiencia en esta zona rural (un valor de la cultura oral) es superior a su educación formal en el extranjero (un valor de la cultura escrita): "Usted ha hecho en la parroquia un estudio más provechoso que el que hizo en los Estados Unidos" (p. 436). En la Colombia de los cincuenta, la realidad local, oral y concreta, ha predominado sobre la extranjera, escrita y abstracta.

Manuela es una historia de conflicto ideológico, lo cual se comunica por medio de la tensión en la trama, el debate político de los diálogos y, a lo largo de la novela, a través de un enfrentamiento entre la cultura oral y la cultura escrita. Los papeles sexuales también se identifican estrechamente según su relación a la cultura oral o la escrita. Los hombres en *Manuela* se asocian con el componente abiertamente ideológico de la cultura escrita —los documentos de la Ilustración que implícitamente informan a don Demóstenes— y las mujeres se asocian o con la cultura oral (como en el caso de Manuela misma) o con la literatura romántica ya pasada de moda. Clotilde y otras mujeres, por ejemplo, son las lectoras de Sir Walter Scott, Espronceda y Zorrilla. Para Eugenio Díaz, la política y la ideología fueron centrales a la escritura, pero también eran un dominio del todo masculino.

Manuela presenta la historia de una joven república en la cual la nación nueva, moderna, se concibía como una cultura escrita de la Ilustración en el proceso de desarrollarse más allá de una cultura oral (la Colombia rural de Manuela) y también más allá de una cultura escrita tradicional (el romanticismo "femenino" y conservador de la tradición hispánica). Siendo un hombre de obvia confianza en la cultura escrita, Eugenio Díaz retrata una nación como documento escrito, como archivo.[22] Apropiadamente, el Dr. Jiménez concluye a fines de *Manuela* que la parroquia y la nación están retratadas en el archivo de don Tadeo:

> (Cosme)—¡Qué contrastes los de la política de esta parroquia, Dios eterno!
> (Jiménez)—Y de todas, dijo don Blas; porque así anda toda la república. Pero el retrato de esta parroquia, sacado al da-

[22] Roberto González Echevarría, "*Cien años de soledad:* Novel as Myth and Archive", *MLN* 99,22 (1984): pág. 358-380.

guerrotipo, es el archivo de don Tadeo. Ahí están todas las facciones políticas y religiosas, ahí está la civilización, ahí está la marcha progresiva de la república. (p. 432)

Al fin y al cabo, la cultura escrita de la Ilustración es una fase transitoria en el archivo total: don Demóstenes sale derrotado para Bogotá. El puede ser visto como metáfora de una fase de predominio liberal en Colombia desde los 1850 hasta la década de 1870. Aún uno de los principales exponentes de la política liberal durante la época, José María Samper, lo ha descrito como un período de "Teorías y sólo teorías..."[23] El debate ideológico presentado por Eugenio Díaz, la derrota de don Demóstenes y este comentario de Samper confirman la propuesta de Bergquist y de Fals Borda de que la visión liberal de este período no se acomodaba a las realidades políticas, sociales y económicas de la época. *Manuela* sí es un rechazo del viejo orden señorial. El espacio del conflicto en *Manuela,* no obstante, se encuentra en la compleja dinámica de la cultura oral y la cultura escrita, revelando propuestas ideológicas que no se ajustan ni al mundo novelesco de Eugenio Díaz ni tampoco al siglo diecinueve colombiano. En el contexto de esta lectura, el incendio al final de *Manuela* puede ser visto como una metáfora de la violencia que vendrá después, y también en este sentido *Manuela* es la primera novela de La Violencia.

[23] Jaramillo Uribe cita a Samper in *El pensamiento colombiano en el siglo XIX,* pág. 219.

DE LA NOVELA *EN* LA VIOLENCIA A LA NOVELA *DE* LA VIOLENCIA: 1959-1960 (HACIA UN PROYECTO DE INVESTIGACION)

Marino Troncoso
Universidad Javeriana (Bogotá)

Mis palabras, inicialmente, desean hacerles partícipes de las inquietudes y búsquedas del Departamento de Literatura de la Universidad Javeriana. Desde sus orígenes en 1967, quiso distinguirse por el estudio intrínseco de la obra subrayando la índole propia del lenguaje literario y estético que crea su propia realidad y, por lo tanto, sus propios criterios de análisis y crítica. Afortunadamente, a partir de la misma literatura y, sobre todo, de los acontecimientos traumáticos que nos ha tocado vivir, tomamos conciencia de la historia y de todo aquello que se encuentra detrás de una palabra que intenta agarrar la existencia para desentrañar un sentido. El departamento no pudo, entonces, permanecer indiferente a la búsqueda de nuestros escritores. Y si nos sentimos un instante desbordados y cuestionados en la razón misma de nuestra enseñanza, quizá fue porque en nuestro presente no teníamos una mirada lúcida sobre nuestro pasado reciente y la titubeante palabra que deseaba expresarlo. Nos habíamos acostumbrado a negar las memorias del olvido poetizadas por García Márquez en *Cien años de soledad.*[1] De ese conflicto surgió el primer seminario de profesores sobre la literatura colombiana durante la época del Frente Nacional, la reestructuración de los trabajos de grado

[1] Se hace alusión al libro de Arturo Alape, *El Bogotazo* (Bogotá: Editorial Pluma 1983). Dice el autor en la presentación: "Pero lo cierto y lo evidente es que en un país como Colombia, donde el olvido histórico ha sido decretado, por el temor a los 'sobrevivientes' políticos, necesariamente y desde el punto de vista de la mayor objetividad, hay que recurrir al testimonio para ponerle esqueleto, cuerpo y dinámica presente a esa historia"; añade luego: "y en 1978 prescribe la acción investigativa sobre el asesinato de Jorge Eliécer Gaitán y por encanto de la ley, ellos hablan. Entonces quedó atrás el miedo y la muerte y se comenzó a bucear en las intimidades más dramáticas que viven en la voz de la memoria".

y el grupo de investigación sobre la posibilidad de elaborar una tipología de la novela de la violencia que fuera, al mismo tiempo, histórico-social y semiológico-formal. De ésta era lo que pensaba hablarles hoy pero, lamentablemente, el trabajo apenas se ha iniciado. Más allá de los mencionados intereses académicos inherentes a todo trabajo universitario se encontraba, como se encuentra hoy, aquí delante de ustedes, la pregunta de un colombiano sobre su propia historia. Comprender y comprenderse a partir de unos textos que, brotando de la violencia, se diferencian y se relacionan con aquellos de la literatura de la guerra civil española y la del holocausto europeo.

Es necesario distinguir la violencia, siempre presente en la novela colombiana, y las novelas llamadas de la "violencia" que reflejan el fenómeno sociológico de la violencia política que sufrió Colombia desde 1948 hasta una época no exactamente determinada de 1960. Muchos no estarán de acuerdo con estas dos fechas, pero ellas fueron postuladas como marco inicial de una investigación. El término de "novela de la violencia" fue acuñado, en primer lugar, por el crítico Hernando Téllez, quien, desde comienzos de la década del cincuenta, comentaba en las "Lecturas Dominicales" de *El Tiempo* la actualidad narrativa del país.[2] Dicho término alcanzó mayoría de edad el 15 de noviembre de 1959, a raíz de la respuesta de Téllez al artículo de García Márquez, "Dos o tres cosas sobre la novela de la violencia". En su comentario, "Literatura y violencia", él le daba más una carga semántica hacia el futuro que hacia el pasado diciendo que "los colombianos podemos esperar tranquilamente que algún día aparezca la gran novela sobre la violencia. No hay prisa".[3]

---

[2] Se destacan: "*El día del odio* de Osorio Lizarazo", *El tiempo*, "Lecturas Dominicales" (Bogotá, 25 octubre 1953); y "Literatura y Testimonio", *el tiempo* "Suplemento Literario" (27 junio 1954). Ver la colección de artículos periodísticos recopilados en: *Hernando Tellez, textos no recogidos en libros* (Bogotá: Colección Autores Nacionales, números 45, 46, Institutos Colombiano de Cultura, 1979).

[3] El artículo de Gabriel García Marquéz apareció en *La calle* (Organo del Movimiento Revolucionario Liberal) 103 (9 octubre 1959). Fue publicado de nuevo en *Eco, revista de la cultura de occidente 205* (noviembre 1978). El comentario de Hernando Téllez apareció en *El tiempo*, "Lecturas Dominicales" (Bogotá, 15 noviembre 1959).

En el grupo llamado "Novela de la violencia" se encuentran, por lo menos, cincuenta obras que no han sido suficientemente estudiadas individual y conjuntamente y, por lo tanto, no se poseen, más allá de lo temático, rasgos distintivos que permitan hablar de un subgénero dentro de las formas narrativas. Los dos únicos estudios en conjunto son los de Gerardo Suárez Rendón, *La novela de la Violencia en Colombia,* que, a pesar de ser tendenciosamente sociológico, se hizo pasar como literario, y el de Román López Tames, *La narrativa actual de Colombia y su contexto social.*[4] Este último autor escribe en 1975: "Se podría asegurar que no hay novela colombiana en los últimos veinte años que, de alguna manera, no se refiera a la violencia (...) Son muchas las investigaciones sobre este fenómeno y frecuentes las inculpaciones superficiales: la causa sería la encisión en partidos políticos extremados, el problema de la propiedad y trabajo de la tierra, el crecimiento demográfico, la actuación de la policía estatal y hasta la Iglesia". Y termina citando *Las causas supremas,* novela de Héctor Sánchez que, en 1969, gana el último Concurso Nacional de Novela, Premio Esso: "Es una época oscura, tan compleja que no puede reproducir en dos líneas. Lo que han afirmado unos y otros no es cierto: que ellos tienen la culpa, que nosotros, que tu papá, que vuestro hijo. A ciencia cierta la único que se sabe es que muchos se pusieron de acuerdo en un luto riguroso y que cualquier campesino vio un día a otro desfilar con un cadáver. Y después dos, tres, trescientos cadáveres, cuántos más. Pasó de ser novedad el asunto de los cadáveres".[5]

Generalmente esta literatura parte de los acontecimientos de 1947 previos al asesinato de Jorge Eliécer Gaitán, personaje político, mito en la historia y cuasi figura literaria. Está escrita en su mayoría por autores liberales, planteando la problemática del compromiso político del escritor. Su primera síntesis la realizó Carlos

---

[4] Gerardo Suárez Rendón, "La Novela de la Violencia en Colombia" (Tesis de Filosofía y Letras, Bogotá: Universidad Pontificia Católica Javeriana, 1966). Ramón López Tames, *La Narrativa actual en Colombia y su contexto social* (Valladolid: Universidad de Valladolid, 1975).

[5] El jurado del Noveno Concurso Nacional de Novela, Premio Esso, 1969, estuvo conformado por Alicia Baraibar de Cote, Hernando Valencia Goelkel y Jorge Eliécer Ruiz. La presencia del grupo es siempre constante.

Lleras De la Fuente en la presentación bibliográfica que realizó de la literatura de la violencia en el *Boletín Cultural y Bibliográfico* del Banco de la República de 1961. Ya se han realizado algunos estudios monográficos que trascienden el comentario afectivo, como el de Gustavo Alvarez Gardeazabal, "México y Colombia, violencia y revolución en la novela", y el de Laura Restrepo, "Niveles de realidad en la literatura de la violencia colombiana". Se destacan también los acercamientos generales de Alberto Zuluaga Ospina y la colección sobre la novela de la violencia en Colombia, dirigida por Luis Iván Bedoya y Augusto Escobar, quienes han profundizado, hasta el momento, en tres autores: Daniel Caicedo, *Viento seco,* Gabriel García Márquez, *La mala hora,* y Manuel Mejía Vallejo, *El día señalado.*[6]

Decía en un trabajo anterior sobre Manuel Mejía Vallejo que la literatura latinoamericana y, en especial, la novela siempre ha presentado la violencia de un continente sumido en ella desde el momento de su nacimiento a la cultura occidental. Baste recordar el brillante estudio de Ariel Dorfman, *Imaginación y violencia en América Latina.*[7] Sin embargo, y lo repito de nuevo, lo característico de la "literatura de la violencia" en Colombia es el interesarse en una época de la historia concreta que se plasma en la novela que se escribe en el país desde 1951, fecha de publicación de la obra de Pedro Gómez Correa, *El nueve de abril.* Algunos textos, los menos, se centran en esa época y otros la recrean o la evocan como origen necesario de un presente. La producción de este "género" aumenta considerablemente luego del golpe de estado contra el Presidente Laureano Gómez y sólo en 1954 se publicaron diez novelas entre las cuales sobresalen *Sin tierra para morir* de Eduardo Santa; *Siervo sin tierra* de Eduardo Caballero Cal-

---

[6] Gustavo Alvarez Gardeazábal, "México y Colombia; Violencia y revolución en la novela", *Nuevo Mundo* (marzo-abril 1971), 57-58. Laura Restrepo, "Niveles de realidad en la literatura de la violencia colombiana", *Ideología y Sociedad* (abril-septiembre 1976), 17-18. Alberto Zuluaga Ospina "Sobre la novelística de la violencia en Colombia", *Cuadernos Hispanoamericanos* 216 (octubre 1969), 597-608 y "Dos o tres cosas sobre la novela de la violencia en Colombia", *Tabla Redonda* 5-6 (Caracas, abril-mayo 1960). Los libros de Luis Iván Bedoya y Augusto Escobar han sido publicados por las ediciones Hombre Nuevo, de Medellín.

[7] Ariel Dorfman, *Imaginación y violencia en América Latina (Barcelona: Editoral Anagra, 1972).*

lderón; y *Tierra asolada* de Fernando Ponce de León.[8] Subrayo la palabra tierra en los tres títulos. A partir de 1960 se intensifica una producción que extiende su campo temático pasando del régimen conservador al período de la dictadura militar de Rojas Pinilla. Esta novela ya es diferente: el cambio de mirada y de interiorización se debe, en parte, a la toma de conciencia que, como veremos más tarde, adquiere el país y que, desde el punto de vista literario, se concretiza en el debate que en diciembre de 1959 promovió el periódico *El Tiempo.* Se habló entonces de falta de perspectiva histórica para tratar el tema, de la necesidad de un genio que pudiera captar la magnitud del conflicto. Podríamos pensar que en el fondo, se intentó crear una actitud de silencio instaurando un nuevo tabú en un país que prefiere, por lo general, olvidar el tumor en vez de operarlo. En esos años, 1958-1962, el país se sentía responsable y al callarse cuestionaba a aquellos que, ante su vergonzoso silencio, habían escrito novelas sin ser literatos. Olvidaban que ellos mismos habían afirmado en sus prólogos que sólo daban un testimonio de lo que habían presenciado: Ernesto León Herrera, seudónimo del presbítero Blandón Berrío, autor de *Lo que el cielo no perdona;* Carlos H. Pareja, *El Monstruo;* Julio Ortiz Márquez, *Los días del terror;* y Fernán Muñoz Jiménez, *Horizontes cerrados*[9], obras que van hasta 1960: literatura en la violencia, literatura de la agonía, paraliteratura y no verdadera literatura de la violencia, y se les juzgaba por eso último: por la literatura para no ver la historia.

Es en la polémica acontecida entre 1959-1960 donde, en la actualidad, se centra nuestra investigación. Ella marca un cam-

---

[8] Además en 1954 se publicaron, entre otras: *Tierra sin Dios* de Julio Ortiz Márquez; *Horizontes cerrados* de Fernán Muñoz Jiménez; *Pogrom* (palabra que en ruso significa ''matanza'') de Galo Velazquez Valencia; *Los cuervos tienen hambre* de Carlos Esguerra Flórez; *Lo que el cielo no perdona* de Ernesto León Herrera; *El exilado* de Arístides Herrera.

[9] Dice Carlos H. Pareja: ''Sin ser historia pura, ni autobiografía, este libro es parte de la tragedia que todos los colombianos hemos vivido, desde que la camarilla de los violentos se apoderó del poder, por lo cual necesitó consumar un asesinato (...) Este libro, que escribo en el exilio, no es sino una parte de mi testimonio''. Y Gonzalo Gutiérrez dice en el prólogo de *Lo que el cielo no perdona*: ''Es un análisis y la narración de interesantes hechos históricos de la violencia en el occidente de Antioquia en los que poco se encuentra de novelesco''.

bio radical y no sólo implica discusión de conceptos, sino también florecimiento de la literatura, creación de organismos estatales y hasta fundación de la primera facultad de sociología en el país. Entender estos años exige ver la importancia de la comisión investigadora de las causas de la violencia creada en 1958 por la Junta de Gobierno e integrada por Otto Morales Benítez entre otros. En 1958 José Francisco Socarrás y la Sociedad Colombiana de Psiquiatría organizan un ciclo de conferencias que se titulan "Radiografía del Odio en Colombia". Cinco de estas conferencias fueron recopiladas en el número 20 de *Actualidad Cristiana* y, posteriormente, fueron recogidas por el gobierno en su totalidad. La recién fundada Facultad de Sociología de la Universidad Nacional inicia el estudio de la violencia en Colombia que será publicado en 1962 en medio de una gran polémica sintetizada en 1964 por Orlando Fals Borda al publicar el segundo tomo de la obra.[10] Este es el ambiente: juicio a Rojas Pinilla, conversaciones de la paz en el Cocuy, reinado de belleza de Luz Marina Zuluaga, concursos literarios que integran la Academia de la Lengua, presidida por el padre Félix Restrepo, y la compañía Esso, asesorada por Gaitán Durán, director de la revista *Mito.* Se discute la novela de la violencia y Eduardo Santa, en su artículo "La tradición de lo inauténtico", defiende a autores que "con gran honestidad humana de simples testimonios, con la mano en el corazón, transidos de dolor y de angustia por lo que ha pasado en Colombia, quisieron dejar fe de lo que vieron en páginas que el artista de mañana podrá utilizar como documento fidedigno".[11] Y eso

[10] Germán Guzmán Campos, Orlando Fals Borda y Eduardo Uriana Luna, Cfr. *La violencia en Colombia,* Tomo II, (Bogotá, Tercer Mundo, 1954).

En contra del primer libro en que se publicó este estudio, se hizo célebre el estudio titulado "La violencia en Colombia: análisis de un libro" del Jesuíta Miguel Angel González, publicado en la *Revista javeriana* 58, 288 (septiembre 1962), que apareció simultáneamente en todos los periódicos conservadores del país el 23 de septiembre de 1962. Estas polémicas fueron tan graves que se creó una situación propicia para un golpe de estado a causa del informe confidencial del Coronel Valencia Tovar publicado el 11 de septiembre de 1962 en *El Espectador.* En las polémicas se cuestionó la llamada novela de la violencia que, sin profundizar el fenómeno, aumentó la divisón constituyéndose ella misma en arma de esa violencia.

[11] *Eduardo Santa, Nos duele Colombia: Ensayos de sociología política,* (Bogotá: Ediciones Tercer Mundo, 1962), pág. 76.

acontece como hecho general, a partir de 1962, cuando la violencia comienza a ser reelaborada trascendiendo la polémica partidista, cuando llegan los escritores que, por primera vez, se manifiestan en el concurso de cuento organizado por *El Tiempo* en 1959 y verán la posibilidad de hacer públicas sus obras al ser editadas por el Premio Esso debido a sus méritos literarios y no por los servicios prestados a un partido.

El 1 de febrero de 1959, *El Tiempo* proporciona su Concurso de Cuento cuya primera edición es la de tema nacional o gran colombiano. El 3 de junio de 1959, el jurado, conformado por Pedro Gómez Valderrama, Javier Arango Ferrer y Fernando Charry Lara, da a conocer su fallo. Se presentaron 515 trabajos y se premiaron, en orden descendiente, los siguientes: *La duda,* firmado por Indio Zulia; *Aquí yace alguien,* por Abelcaín y *Batallón antitanque,* por Escándalo. Estos seudónimos correspondían a Jorge Gaitán Durán, Manuel Mejía Vallejo y Gonzalo Arango.[12] Actuó como secretario ad-hoc Eduardo Mendoza Varela, redactor de las *Lecturas Dominicales.* El tema nacional en las tres obras premiadas correspondía a la violencia, pero ésta ya era una violencia diferente, narrada desde el interior de una conciencia, superando el maniqueísmo de buenos y malos propios de las obras anteriores. Los autores premiados representaron tres de las corrientes más importantrs de la literatura colombiana: la tradicional antioqueña que buscaba en Mejía Vallejo nuevas formas de expresión que superaban la herencia tradicional costumbrista de Carrasquilla y Efe Gómez; la universal europea que introducía los aires de renovación promovidas desde la capital por el grupo de santandereanos y bogotanos que editaban la revista *Mito;* y, finalmente, la anticonformista del movimiento nadaísta representado por su fundador Gonzalo Arango. Sorprende no encontrar entre los 26 participantes publicados ningún autor costeño si tenemos en cuenta que éstos, posteriormente, dominarán durante algunos años en la narrativa colombiana. El éxito de este concurso hizo olvidar rápidamente el fracaso del concurso de novela promovido en 1958 por el gobierno y preparó la organización del Pri-

---

[12] Cf. 26 *Cuentos Colombianos,* una publicación de *El Tiempo,* "Lecturas Dominicales" (Bogotá: Editorial Kelly, 1959. El acta del jurado calificador apareció en *El Tiempo,* "Lecturas dominicales" (14 Junio 1959).

mer Concurso Nacional de novela —Premio Esso 1961, en donde se presentaron 178 obras inéditas escritas desde mucho antes y, finalmente, se premió *La mala hora* de Gabriel García Márquez. El jurado constituído por Eduardo Mendoza Varela, Rafael Maya y Daniel Arango encontró también como tema dominante la violencia y otorgó el segundo lugar a *El día señalado* de Manuel Mejía Vallejo, texto en el que se integraba como prólogo el cuento premiado en 1959. Tanto *La mala hora* como *El día señalado* iniciaban el segundo momento de la historia de la novela de la violencia. Y *El día señalado,* al obtener el 6 de enero de 1964 el primer premio Nadal concedido a Latinoamérica, se convierte en carta de presentación de nuestra literatura.

Dejando a un lado el problema que encierran los concursos como posibilidad de hacer conocer unos textos, las ideologías subyacentes que los promueven como medio de distracción, los favoritismos de amigos que premian al director de la revista donde todos trabajan, es justo reconocer el valor de los textos premiados y la importancia que tuvieron éstos en la posterior evolución de la narrativa colombiana. "La duda" es un cuento muy breve que se narra desde la conciencia de Fabriciano, jefe de un grupo de guerrilleros. Más allá de los combates con las tropas del gobierno está su enfrentamiento con Segundo, su amigo, por la traición de la "Soldadera", su mujer. La violencia es el espacio vital asumido con gran naturalidad; ni se le denuncia, ni se le condena: lo importante es el hombre que, viviendo en medio de ella, siente lo que sienten otros hombres. *Aquí yace alguien* es una cruz, un letrero: José Miguel Pérez, diciembre 1934-enero 1957 y, entre las dos fechas, una vida, alguien que mataron sin saber por qué. La madre dice que fue a buscar su caballo que le robaron, el alcalde, que era un chusmero peligroso y el cura, que estaba con las guerrillas, que estaba contra Dios. Simplemente era un muchacho que siempre quiso tener un caballo, amaba a su novia y tocaba la guitarra. Si el cuento de Gaitán Durán era psicológico y el de Mejía Vallejo poético, el de Gonzalo Arango se volvía sarcástico e irónico. *Batallón antitanque* narra el proceso mediante el cual una juventud llega a sentir a otra como el enemigo, haciendo percibir lo absurdo de una guerra camuflada. Estas tres actitudes, la interiorización, la evocación poética y el humor y la ironía, serían la tabla de salvación para una literatura que se estaba ahogando en sangre y debía encontrar otra solución diferente a la de asustar con el número de muertos si deseaba profundizar en el cáncer de una sociedad.

Decía Gonzalo Arango: "existe general extrañeza por la coincidencia que los tres cuentos enfoquen el tema de la violencia y se desarrolle, con mayor o menor intensidad, en un marco de asesinato y terror. Este tema, en su azaroso dramatismo, no puede ser indiferente a ningún intelectual colombiano. La violencia gravita sobre nuestra sensibilidad en forma perturbadora y agresiva. Está demasiado presente para ignorarla; es demasiado cruel para no sentirla; no podemos olvidarla, vivimos bajo su atmósfera de alucinación y terror. Ningún escritor que tenga sus dos pies hundidos en el barro de este país puede eludirla sin traicionar su realidad humana más profunda pues, directa o indirectamente, ha sufrido sus consecuencias".[13] Y estas declaraciones se encuentran en medio de los titulares que hacían primera página en los periódicos del país durante 1959: "se levantará el estado de sitio", "en acción pacífica fueron desalojados los invasores", "el partido comunista nada tiene que ver con la violencia", "83 guerrilleros del Tolima favorecidos por la amnistía", "la paz no se consigue con actos del gobierno".[14] Titulares análogos a los que podemos leer hoy, exigencia vital para el escritor que sigue estando presente en la escritura de obras actuales como *Una y muchas guerras* de Alonso Aristizábal, donde un niño corre "por la mañana sombría de un pueblo encerrado y temeroso que se negaba a despertar".[15]

A partir de estas reflexiones el Departamento de Literatura ha empezado a recorrer un nuevo camino que, necesariamente, conduce al estudio interdisciplinario de la obra literaria, a la investigación concreta histórica y a una mayor toma de conciencia de la realidad. Su proyecto de investigación se amplía cada vez más, pasando de una literatura *en* la violencia a una literatura *de* la violencia que se transforma a cada instante. Si la primera se

---

[13] Gonzalo Arango "Los cuentos y la violencia", *El tiempo*, "Lecturas Dominicales" (5 julio 1959).

[14] Para la investigación se consultaron las primeras páginas de *El tiempo* correspondientes a los tres meses que permaneció abierto el concurso.

[15] Alonso Aristizábal, *Una y muchas guerras* (Bogotá: Planeta, 1985), pág. 57

inicia en 1951 y va hasta 1960, la segunda llega hasta nuestros días. Las confrontaciones partidistas se han convertido en enfrentamientos de dos sistemas y dos concepciones del hombre, y el lenguaje que comunicaba crea sus propios mundos virtuales, sus propios personajes, y lucha en pro de su autonomía como escritura para nombrar mejor el mundo. A todo esto, no es indiferente Cuba y lo que implicó y sigue implicando en el continente, como tampoco lo es el aumento cada vez mayor de contactos literarios que ha transformado la conciencia que el escritor tiene sobre su propio oficio. Es en la literatura y en otras formas artísticas, fomentadas en ocasiones para distraer, donde se encuentra la memoria de una historia construida desde el hombre. Nuestro proyecto de investigación apenas ha empezado: por ahora, sólo sabemos de la importancia de 1959-1960 como años de ruptura y de transformación. Y esos dos años nos permiten mirar para atrás y, sobre todo, nos lanzan a nuestro presente y a nuestro futuro. En ellos se gestó Macondo. El grupo Mito se fue integrando con el nadaísmo y se inició la experiencia excepcional del Frente Nacional.

TENDENCIAS CONTEMPORANEAS DEL MERCADO DE LIBROS COLOMBIANOS

David Block
Cornell University

El Mercado del Libro Colombiano

Por toda la zona latinoamericana se describe a Colombia como ''país de lectores y escritores''. Un observador sagaz de la realidad colombiana crea la visión de los libros nacionales mezclados con zanahorias en el supermercado y con cigarrillos y chicle en los kioskos.[1] Pero sólo una parte del estereotipo es verdad. Como ustedes, investigadores del país, saben bien, Colombia tiene una cifra de no letrados más alta que el promedio regional y un nivel de ingresos demasiado bajo para apoyar la semejanza de una nación de lectores. La reputación cultural del país depende más de la imaginación de sus escritores y de la fuerza de su industria editorial.

Los escritores pertenecen al mundo erudito. Espero con impaciencia oir los nombres que ustedes añadirán a los de García Márquez, Alvarez Gardeazábal y Zapata Olivella —estos dos últimos recién invitados a Cornell. Pero con todo respeto cierto conocimiento de la industria editorial me pertenece a mí. Como introducción a su extensión e importancia, propongo que examinenos unas estadísticas del mercado de libros contemporáneos.

1. Las imprentas son importantes exportaciones colombianas. Entre 1969 y 1984, la exportación de libros aumentó 786%. Y en 1985, una sola empresa, Carvajal & Cía de Cali, exportó el valor de $US 40.5 millones.

2. Colombia, país de unos 28 millones de habitantes, sigue

[1] Germán Vargas, ''País de lectores y escritores'', *Semana* (2 septiembre 1986), p. 67.

sólo a Brasil y a México entre los países latinoamericanos en la cantidad de libros impresos. En 1985 salieron 6.843 títulos en 52.375.000 ejemplares.[2] El desarrollo formidable de esta industria tiene una historia muy breve.

Aunque la imprenta en Bogotá empezó en 1737 y la maquinaria litográfica entró en el país al final del siglo XIX, sólo el fracaso de la imprenta española durante su Guerra Civil y la llegada de emigrantes republicanos en los años después de 1936 nutrieron una industria nacional de consecuencia. Y la viva industria que caracteriza la escena contemporánea se desarrolló más tarde todavía.

En su obra sobre la imprenta colombiana, Arcadio Plazas apunta el alza de gremios, los cuales se juntaron en la Cámara Colombiana del Libro, fundada en 1949. Esta asociación temprana empezó el largo esfuerzo de cabildear por la protección de la imprenta nacional. En 1958 el Congreso Nacional otorgó la Ley 74, entonces llamada Ley del Libro. Esta ley, reafirmada en 1973, concedió la importancia de la imprenta para la nación y estableció estímulos tales como la exención de tarifas aduaneras para todo el papel y maquinarias destinadas a imprimir obras literarias y científicas, la baja de impuestos internos para imprentas, y la creación de una tarifa especial para libros en el sistema postal.[3]

Las Leyes de Libro tuvieron efectos profundos para la imprenta colombiana, estimulando la fundación y modernización de empresas colombianas y la llegada de multinacionales, la mayoría ubicándose en la capital. Por 1981 Colombia sostenía 355 empresas de imprenta y editoriales, sector que ocupa el octavo lugar en la industria nacional. Y el "boom" de estas industrias impulsó dependencias, notablemente en la producción de papel y tintas. Hoy día Colombia produce todas las tintas utilizadas en el país e importa sólo papeles especiales.

El producto de la industria editorial sale de tres grandes sectores. Como en la mayoría de los países latinoamericanos, al gobierno nacional le toca un papel importante en la imprenta. Mate-

[2] Todas las citas salen del ensayo "El sector en cifras", *Semana* (2 septiembre, 1986), p. 66.

[3] Arcadio Plazas, "La industria editorial en Colombia: su desarrollo política de fomento", en *Colombia, Chile* (Bogotá: CERLAL, 1982), pp. 15-16.

riales oficiales y administrativos componen tanto como el 40% de la producción nacional si se incluyen las publicaciones gubernamentales, la Imprenta Nacional e institutos asociados. El componente gubernamental incluye entidades importantes como el Departamento Administrativo Nacional de Estadística (DANE); La Presidencia de la República, la que publica los mensajes y entrevistas del Presidente y de sus ministros; el Ministerio de Educación Nacional, que dona algunas de las series culturales más importantes, la Biblioteca de Autores Colombianos y la Biblioteca Popular de Cultura Colombiana, por ejemplo; y la Imprenta Nacional, que, además de publicar la mayoría de los documentos oficiales, produce también series monográficas, tanto como la Biblioteca de Historia Nacional, y los periódicos eruditos *Bolivia* y *Revista de Indias.*

Además de las publicaciones de sus ministerios y agencias, el gobierno nacional ayuda la imprenta erudita con el apoyo de varias entidades culturales. Colcultura y PROCULTURA, éste suvencionado por una mezcla de fondos públicos y privados, son muy importantes en sus programas de investigaciones. PROCULTURA publica la serie Nueva Biblioteca Colombiana de Autores, y Cultura —como su contraparte venezolana, Monte Avila— es editor importante de ficción, especialmente de obras de nuevos autores. El Banco de la República apoya dos subsidios, la Biblioteca Luis Angel Arango y el Museo del Oro, ambos publicando estudios importantes. Aunque este sumario representa sólo un esfuerzo inicial para enumerar las fuentes y publicaciones de entidades gubernamentales, sirve para ilustrar su amplitud e importancia.

Otra fuente importante de publicaciones eruditas colombianas es el instituto de investigación. Una guía recién salida de la OCED indica 44 institutos de desarrollo y entrenamiento en Colombia.[4] Entre los más importantes son el Centro Internacional de Agricultura Tropical (CIAT) y el Instituto Colombiano de Antropología. Una obra inédita de la selección de libros colombianos escrita por Paula Covington aumenta esta lista con los "think tanks", el Centro de Estudios de la Realidad Colombiana (CREC),

[4] *Inventaire des instituts de recherche et de formation en matière de développment en Amérique Latine* (París: OCED, 1984).

y la famosa organización de lengua y literatura, el Instituto Caro y Cuervo.

Estas organizaciones funcionan como sus contrapartes norteamericanas, imprentas universitarias y organizaciones investigativas. Pero sus publicaciones y aún sus existencias son difíciles de averiguar desde la distancia de Norteamérica. Los trabajos de los especialistas, en el país mismo y con investigadores colombianos, les dan información de suma importancia para los bibliotecarios encargados de asuntos latinoamericanos.

La característica que distingue la editora colombiana de la de otras naciones de la región es la actividad de su sector privado, comunmente llamada "trade publishing" en el mercado norteamericano. Esta parte de la industria está bien concentrada. De las 335 empresas editoriales e imprentas citadas arriba, unas 35 producen el 90% del valor total, una gran parte exportada[5]. La "ingeniería del papel"de empresas como Carvajal recién presentado en un artículo de *Publishers'Weekly* —se manda exclusivamente al exterior, mayormente a países no de habla castellana. No obstante, los mismos factores— alta tecnología, bajos costos de mano de obra, legislación favorable— que impulsan la "ingeniería del papel" también se aplican a la producción de obras de interés erudito, especialmente obras de literatura.

Las editoriales colombianas de literatura mejor conocidas son subsidiarias de las casas españolas, Plaza y Janés, Siglo XXI y Planeta. Estas se ubican en Colombia como base de sus operaciones sudamericanas y publican a autores internacionales como Irving Wallace, Carlos Fuentes, y Mario Vargas Llosa. Estas tres casas son hábiles en su promoción de escritores colombianos, como es evidente en sus publicaciones de obras nuevas de Daniel Samper y Gustavo Alvarez Gardeazábal.

Editorial Oveja Negra, perteneciente a colombianos y fundada y administrada por ellos, es otra casa importante en la publicación literaria. Activa menos de 20 años, esta casa tiene una lista impresionante de títulos en historia, ciencias sociales y literatura colombianas, incluso obras de su antiguo accionista García Márquez. En los últimos cinco años, Oveja Negra se ha estableci-

[5] *Diagnóstico de la industria gráfica colombiana* (Medellín: La Asociación, 1983), p. 12.

do como multinacional, entrando en el mercado ecuatoriano bajo el convenio del Pacto Andino. En Quito, los editores siguen la misma política que en Bogotá, es decir, una lista amplia de títulos en humanidades y ciencias sociales, destacándose la literatura.

Trabajar con el Comercio del Libro Colombiano

Parte de la vitalidad del comercio de libros colombianos se debe a su alto nivel de organización. Muchos libros eruditos aparecen en series amplias como las ya enumeradas de Colcultura y el Ministerio de Educación, lo cual hace posible su adquisición por vía de pedido abierto (''standing order''). La bibliografía nacional del país, *Anuario bibliográfico colombiano,* editado por el Instituto Caro y Cuervo, es un modelo de precisión y consistencia y el país produce varios índices de periódicos. Además, el Centro Regional para el Fomento del Libro en América Latina (CERLAL), situado en Bogotá y la Escuela Internacional de Bibliotecología de la Universidad de Antioquia, producen sagaces análisis del comercio de libros y apoyan la publicación de fuentes para la selección de libros colombianos.

Lamentablemente, la alta destreza que caracteriza la publicación y la imprenta no se aplica a la distribución del libro colombiano, una tendencia con consecuencias negativas para investigadores tanto como para bibliotecarios. Parte de la causa de esta falta se debe a la diferencia estructural entre la publicación y la imprenta. Las estadísticas que presenté al principio de este estudio son las de la imprenta, un proceso industrial tocante a papel, tinta, y cubiertas. En Colombia el sector de exportación está dominado por la imprenta, con las decisiones editoriales y de mercado hechas fuera del país. Otra dificultad es característica de la obra erudita en todo el mundo: estos libros no se venden. Mientras que la última novela de García Márquez salió en una tirada de 200.000 ejemplares, un estudio histórico de mucha importancia, como la *Historia doble de la costa* de Orlando Fals Borda, se publicó en 1.500. Con pequeñas tiradas y escaso conocimiento de la estrategia de vender obras eruditas al extranjero, los editores tienen pocos impulsos para ampliar la distribución de sus títulos.

En términos prácticos, entonces, los investigadores y bibliotecarios —los que pedimos un sólo ejemplar— no compramos directamente de las editoriales. Adquirimos nuestros libros y periódicos de exportadores especialistas. En la Argentina, el Brasil o México estos especialistas existen por docenas. No obstante, Colombia nos ofrece sólo uno, J. Noé Herrera, cuya empresa, Libros de Colombia, provee amplias listas de obras disponibles y agotadas con las cuales sus clientes reciben libros y ejemplares de publicaciones en serie organizadas según editorial, tema, fecha de publicación y precio máximo. A pesar de los conocimientos y del interés de Herrera y su personal, su casi monopolio en el mercado exportador crea posibles desventajas para el cliente. Sin otra fuente complementaria que adumbre obras disponibles, los bibliotecarios tienen que esperar la salida del *Anuario Bibliográfico* (con dos años más o menos de retraso) para verificar lagunas en sus colecciones. Y el costo de libros colombianos, medidos por precios pagados en bibliotecas norteamericanas, se coloca firmemente entre los más caros de la región.[6]

Para reiterar las principales características del mercado del libro colombiano: es grande y complejo para América Latina y su organización es formidable; en términos de producción y réditos, el mercado está dominado por su componente de imprenta, el cual se dedica a la exportación; mientras que el gobierno es el mayor editor, el sector privado es muy activo, especialmente en la publicación de literatura; y la falta de un equilibrio entre el sector de exportación y el resto de la industria, junto con la escasez de especialistas en el mercado exportador, causa problemas en la distribución de obras eruditas al extranjero.

La Literatura Histórica de la Violencia

Mi primer impulso al empezar mi pesquisa fue examinar obras recién publicadas sobre la historia de La Violencia y sugerir una tipología para su ordenamiento. Pero afortunadamente, la primera

[6] El *Bowker Annual of Library and Booktrade Information* produce un compendio anual de precios de libros latinoamericanos en su sección del mercado internacional.

obra que leí fue el estimulante ensayo de Gonzalo Sánchez, publicado en un número reciente de la *Hispanic American Historical Review.*[7] Aunque no puedo mejorar su presentación, me complace apuntar que el primer apéndice de esta ponencia es una bibliografía de fuentes no mencionadas por el historiador colombiano. Y si Sánchez no se revisa fácilmente, su ensayo nos presenta la oportunidad de analizar la bibliografía de la literatura histórica de La Violencia. Examinando las obras citadas por Sánchez, uno se puede preguntar sobre los orígenes de esta literatura y las posibilidades de recursos que las bibliotecas norteamericanas procuran para el estudio de La Violencia.

La primera cosa que se observa al examinar las referencias del ensayo de Sánchez es el predominio de Bogotá como lugar de publicación. No sugiero que esto sea inesperado o que disminuya la importancia del ensayo. Claro que Bogotá es el centro editorial del país, y Sánchez también cita obras de Manizales, Medellín, Francia, y los EE.UU. (ver Apéndice II). No obstante, el predominio de obras publicadas en Bogotá introduce lo que me parece ser la posibilidad que, por causa del sistema de distribución subdesarrollado de Colombia, la investigación de La Violencia esté limitada a aquellas obras publicadas en la capital y luego comprados por Herrera para sus clientes en Norteamérica. Claro que estudios regionales de La Violencia, una de las categorías de escritura examinada por Sánchez, se producen en las provincias.

De las 32 obras citadas por Sánchez, la biblioteca de Cornell —con una colección de unos 250.000 volúmenes latinoamericanos y aproximadamente 15.000 de Colombia— tiene 17 o 53%. Examinar el *database* RLIN (una red informática de unos 12.000.000 títulos mundiales) aumenta la lista con 9 títulos más. Una indagación en OCLC (otra red computadora) muestra 4 títulos más, un total de 30 de los 32. Uno de los restantes, las ponencias del Primer Simposio Internacional Sobre La Violencia en Colombia, no se ha publicado hasta la fecha. Así que *Las guerrillas en los llanos orientales,* publicado en Manizales en 1954, es el único fugitivo de la pesquisa. No obstante, recuerden ustedes que sólo

[7] Gonzalo Sánchez, "La Violencia in Colombia: New Research, New Questions", *Hispanic American Historical Review* 65,4 (noviembre 1985), pp. 789-807.

la mitad de las obras están disponibles para uso inmediato en Cornell.

Esta última observación nos lleva a la cuestión de distribución de recursos, de la raison d'être de los sistemas de computadoras que ahora juegan papeles tan importantes en bibliotecas norteamericanas. Cada etapa en el proceso de mi pesquisa descubrió nuevos títulos: 53% en Cornell, otro 28% en RLIN, por fin 13% en OCLC. Este proceso incremental introduce un punto que quiero subrayar. La fuerza de los recursos bibliográficos latinoamericanos es colectiva. Ni una sola biblioteca o red, y hay cuatro redes principales en los EE.UU y Canadá, podrá apoyar completamente investigaciones intensivas sobre el tema de La Violencia. El desarrollo contemporáneo de redes por huellas similares pero también separadas divide efectivamente las colecciones latinoamericanas en bibliotecas norteamericanas entre sistemas rivales. Yo sugiero que esta competición debe resistirse tanto como posible. Tenemos que apoyar los esfuerzos de juntar los sitemas de comunicación para que las colecciones de las universidades de Illinois, Wisconsin y Texas (y otros miembros de OCLC) sean accesibles a investigadores de Yale, Stanford, y Cornell (y otros miembros de RLIN).

Otra advertencia brota de la examinación de las fechas de publicación de las referencias de Sánchez. Como las bibliotecas norteamericanas andan hacia el mundo de la informática, la importancia de modos de acceso tradicionales, especialmente el catálogo de fichas, bajará agudamente. Para obras del día, es decir imprentas después de 1968 —cuando la Biblioteca del Congreso empezó a vender su catalogación de máquina (MARC)—, los sistemas computadores reciben fácilmente datos de máquina. No obstante, para imprentas antes de 1968, cada biblioteca tendrá que hacer su propia conversión de fichas manuales al modo electrónico. Si examinamos las referencias dadas por Sánchez, observamos las implicaciones para estudios históricos, aun de temas bastante contemporáneos. Diez y siete de las 32 obras aparecieron antes de 1970. De este total sólo 9 (poco más de la mitad) están representados en RLIN; OCLC capta 10. Así que de los 17 títulos identificados en Cornell, 9 son accesibles sólo por el catálogo de fichas, y los suplementos más importantes a este catálogo son los catálogos impresos de las grandes colecciones latinoamericanas tales como las de la Universidad de Texas en Austin, la Universidad de Florida en Gainesville, y la Universidad de Tulane en Nueva Orleans.[8] Para servir eficazmente a las necesidades de investigadores en humanidades y ciencias sociales, la conversión de datos bibliográficos manuales a la forma electrónica es parte íntegra del esfuerzo de automatización.

Conclusiones

La literatura erudita de Colombia brota de una infraestructura muy mundana. Las instituciones apoyadas por el gobierno están aumentadas por agencias investigadoras y editoriales privadas y todos publican con calidad en cantidades. Esta extensión y complejidad tienen dos principales implicaciones para investigaciones colombianas en Norteamérica. Primero, no hay biblioteca única que provea todos los recursos necesarios para apoyar la amplia variedad de investigaciones representadas en este congreso. Presupuestos limitados y la escasez de materiales retrospectivos refuerzan las debilidades de cada colección. No obstante, la perspectiva de recursos bibliográficos distribuidos facilitados por comunicaciones electrónicas es una de sinergía.

Segundo, a pesar de buenas fuentes bibliográficas y de un poderoso sector exportador, el universo de publicaciones colombianas es imposible revisar desde la perspectiva de Norteamérica. Les ruego compartir su experiencia colombiana con los bibliotecarios en sus universidades, no para exigir lo imposible —aunque esto también tiene su momento— sino para dar sus conocimientos de nombres y direcciones, conforme a las necesidades de su propia investigación y enseñanza y de las tendencias de su especialización.

Las exigencias de la universidad contemporánea se mueven hacia una división entre los que identifican, adquieren, y dan ac-

---

[8] Ver Florida. University, Gainesville, Libraries. *Catalog of the Latin American Collection* (Boston: GK Hall, 1973). Texas. University at Austin. Library. Latin American Collection. *Catalog of the Latin American Collection* (Boston: GK Hall, 1969). Tulane University of Louisiana. Latin American Library. *Catalog of the Latin American Library of the Tulane University Library, New Orleans* (Boston, GK Hall, 1973).

ceso a materiales bibliotecarios y los que las utilizan para investigaciones. En la medida en que bibliotecarios y doctos vivimos separadamente, disminuimos la eficacia de nuestros propios programas.

Apéndice I: Bibliografía de Obras sobre La Violencia (Adiciones al ensayo de Sánchez)

Alape, Arturo. *La paz, la violencia: testigos de excepción: documento.* Bogotá: Planeta, 1985.

Aprile Gniset, Jacques. *El impacto del 9 de abril sobre el centro de Bogotá.* Bogotá: Centro Gaitán, 1983.

Bedoya, Luis Iván. *La novela de la violencia en Colombia.* Medellín: Ediciones Hombre Nuevo, 1980.

Braun, Herbert. *The Assassination of Gaitán.* Madison: University of Wisconsin Press, 1985.

Casas Aguilar, Justo. *La violencia en los llanos orientales.* Bogotá: Ecoe, 1986.

Fajardo, Darío. "La violencia y las estructuras agrarias en tres municipios cafeteros del Tolima", en *Agro en el desarrollo histórico colombiano.* Bogotá: Punta de Lanza, 1977.

Franco Isaza, Eduardo. *Las guerrillas del llano: testimonio de una lucha de cuatro años por la libertad.* Medellín: Ediciones Hombre Nuevo, 1976.

Gómez Aristizábal, Horacio. *Gaitán, enfoque histórico.* Bogotá: Editorial Cosmos, 1975.

Molano, Alfredo. *Los años del trope: relatos de la violencia.* Bogotá: Fondo Editorial CEREC, 1985.

Montoya Candamil, Jaime. *Rumor de guerra.* Bogotá: Plaza & Janés, 1985.

Once ensayos sobre la violencia. Bogotá: Fondo Editorial CEREC/Centro Gaitán, 1985.

Ortiz Márquez, Julio. *El hombre que fue un pueblo.* Bogotá: Carlos Valencia Editores, 1978.

Ortiz Sarmiento, Carlos Miguel. *Estado y subversión en Colombia: la violencia en el Quindío años 50.* Bogotá: CIDER/CEREC, 1985.

Ortiz Sarmiento, Carlos Miguel. ''Las guerrillas liberales de los años 50 y 60 en el Quindío'', *Anuario colombiano de historia social y de la cultura,* 12 (1984), 103-153.
Protagonistas. [Una serie de 30 cintas vídeo que graban conversaciones con figuras colombianas destacadas en la política de la posguerra].
Rendón Cuartas, Gloria. *1984: bibliografía sobre Gaitán, 9 de abril y violencia.* Bogotá: Centro Gaitán, 1983.
Robison, Joy Cordell. *El movimiento gaitanista en Colombia, 1930-1948.* Bogotá: Tercer Mundo, 1976.
Sánchez G., Gonzalo. *Los días de la revolución: gaitanismo y 9 de abril en provincia.* Bogotá: Centro Gaitán, 1983.
Sánchez G., Gonzalo. ''La violencia y sus efectos en el sistema político colombiano'' *Cuadernos Colombianos,* año II, primer trimestre (1976), 1-44.

Apéndice II: Casas Editoriales de las Obras Citadas por Sánchez

Lugar	Editorial
Bogotá	Banco Popular/Instituto de Estudios Colombianos
,,	Centro Gaitán
,,	Colección Nuevos Tiempos
,,	Ediciciones A. Mono
,,	Ediciones Armadillo
,,	Ediciones Cultura Social Colombiana
,,	Ediciones Tercer Mundo (3 obras)
,,	Editorial Argan
,,	Editorial Argra
,,	Editorial Kelly
,,	Editorial Los Andes
,,	El Ancora
,,	Empresa Nacional de Publicaciones
,,	Fondo Editorial Sudamericana
,,	Instituto Colombiano de Cultura
,,	Librería Mundial
,,	Promotora Colombiana de Ediciones y Revistas

Lugar	Editorial
,,	Servicio Colombiano de Comunicación Social
,,	Universidad Central
,,	Universidad Nacional de Colombia (2 obras)
Medellín	Oveja Negra
Francia	Fondation Nationale des Sciences Politiques
USA	Rand Corporation

HEMINGWAY Y GARCIA MARQUEZ: TARDE Y TEMPRANO

Aden Hayes
St. Lawrence University

Dado el voluminoso interés crítico en la influencia de William Faulkner sobre García Márquez, parecería fatuo insistir demasiado en la importancia de Hemingway en la obra marquesina. Sin embargo, hay que insistir, ya que García Márquez ha denominado a Faulkner y a Hemingway como "mis dos grandes maestros" (García Márquez 1:1). Y mientras García Márquez ha declarado durante más de una década que no aguanta más la lectura de Faulkner, que yo sepa, el colombiano nunca ha repudiado su gran admiración por Hemingway: "los resabios faulknerianos han desaparecido; los combatí leyendo a Hemingway" (Vargas Lloga 1: 137).

En su *Historia de un deicidio,* Mario Vargas Llosa enumera los "demonios culturales" de García Márquez, término que emplea para indicar el fondo cultural del escritor colombiano. Vargas Llosa declara categóricamente que "sólo puede hablarse de Hemingway como un demonio cultural en García Márquez a partir de *El coronel no tiene quien le escriba*" (Vargas Llosa 2: 150). Esta opinión situaría el primer interés de García Márquez en Hemingway hacia mediados de la década de los cincuenta, cuando se escribió *El coronel.* Otros críticos han visto la admiración de García Márquez por Hemingway ligado a su lectura de *El viejo y el mar* en *LIFE en español,* donde se publicó en 1952 en traducción del escritor gallego-cubano, Lino Novás Calvo. Pero gracias a las investigaciones de Jacques Gilard y otros, ahora sabemos que García Márquez tuvo contacto con la obra hemingwaiana bastante antes de publicarse *El viejo y el mar.* En el primer semestre de 1950, casi al mismo tiempo en que conoció al grupo de Barranquilla, García Márquez leía ejemplares prestados de las novelas de Hemingway en traducciones españolas, publicadas sólo unos años antes en Buenos Aires (Gilard 15). Y, como veremos luego, ya en estos primeros meses de 1950 García Márquez empleaba la obra de Hemingway como modelo para la suya.

En un artículo sobre *Al otro lado del río y entre los árboles,* publicado en *El Espectador* de Barranquilla en 1952, y escrito después de publicarse por entregas esta novela en la revista norteamericana *Cosmopolitan,* pero antes de aparecer como libro aun en inglés, García Márquez indicó a sus lectores que conocía la mayor parte de la obra de Hemingway entonces existente en castellano: *Tener y no tener, Adiós a las armas, Fiesta,* y ''varios cuentos —eso sí extraordinarios—'' (Gilard 362-363). En el mismo ensayo que refirió a Hemingway como ''el afortunado autor de muchos cuentos maestros'', aunque García Márquez dudaba que Hemingway pasara a la historia literaria con la misma categoría de Hawthorne, Melville, Poe y Faulkner.

En su insigne ensayo ''Dos o tres cosas sobre la novela de la violencia'', García Márquez condenó la exageración retórica de los escritores colombianos de la violencia, y promocionó ''la teoría literaria del iceberg'' de Hemingway, teoría que García Márquez había adoptado mucho antes como suya. ''La obra literaria'', escribió García Márquez, ''es como el 'iceberg': la gigantesca mole de hielo que vemos flotar, logra ser invulnerable porque debajo del agua la sostienen los siete octavos de su volumen'' (García Márquez 2: 19-20).

Un año más tarde, con ocasión de la muerte de Hemingway, García Márquez publicó en el periódico mexicano *Novedades* una necrología titulada ''Un hombre ha muerto de muerte natural'' (García Márquez 3). Aquí volvió al tema del iceberg, llamándolo la mejor definición de la obra hemingwaiana, y atribuyendo la trascendencia de Hemingway a que se aferró a un estilo directo y aparentemente simple, y a que trató en su literatura sólo aquello que había visto con sus propios ojos y experimentado por sí mismo. Esto era, afirmó García Márquez, lo único en que podía creer Hemingway. (Debemos aclarar entre paréntesis que esto no era precisamente la verdad, pero así parecía porque Hemingway sabía *tanto* de los sujetos de su ficción, de sus historias y sus fondos). Especulando sobre el suicidio de Hemingway, García Márquez comparó el autor a sus personajes, cuyas victorias difíciles y evanescentes muchas veces no son más que la simple supervivencia entre el dolor y la duda. Y García Márquez concluyó que

Hemingway era "un espléndido ejemplar humano... un trabajador bueno y extraordinariamente honrado, que acaso merezca algo más útil que un puesto en la gloria convencional".

En una serie de entrevistas en los años 70, García Márquez volvió varias veces a la idea de su deuda con Hemingway, y nombró los aspectos de la obra de su maestro que él considera más dignos de su admiración, y hasta de su emulación. García Márquez prefiere los cuentos de Hemingway a sus novelas, y es a los cuentos a los que se puede aplicar más directamente la teoría del iceberg. Uno de sus cuentos predilectos, mencionado en varias entrevistas, es "Un gato bajo la lluvia", que en sí oculta todo el desastre de una relación matrimonial bajo el iceberg visible de un pequeño incidente en un hotel en Rapallo. Y García Márquez dijo a Plinio Apuleyo Mendoza que "La vida corta y feliz de Francis Macomber" era "el mejor cuento que se haya escrito. Un cuento cojonudo" (Mendoza 1: 149). Otros cuentos favoritos de García Márquez incluyen "los tres que escribió Hemingway una tarde de mayo en una pensión madrileña, cuando una nevada obligó a cancelar la corrida de toros de la fiesta de San Isidro. Aquellos cuentos, como él mismo declaró a George Plimpton, eran 'Los asesinos', 'Diez indios', y 'Hoy es viernes', y los tres son ejemplos magistrales" (García Márquez 1: 17). Así, pues, García Márquez no sólo estudia y estima la ficción de Hemingway, sino que también lee las declaraciones y entrevistas del autor norteamericano.

García Márquez también sigue los consejos de Hemingway a los escritores, y ha llegado a apreciar los descubrimientos del maestro en el campo que García Márquez llama "carpintería literaria". Con este término alude a ciertos aspectos de técnica formal, pero también a temas tan comunes como costumbres y condiciones de trabajo. "Hemingway es el escritor que más ha tenido que ver con mi oficio", escribió García Márquez en 1981, "no simplemente a través de la influencia de sus libros, sino por su poderoso conocimiento de la artesanía dentro de la ciencia de la escritura" (García Márquez 1: 16). García Márquez sigue cuidadosamente el precepto hemingwaiano según el cual el diálogo debe ser directo, muscular y hasta coloquial, y lamenta el hecho de que el español haya estado preso durante siglos en lo que él llama "ese cuartel de policía del idioma que es la Academia de la Lengua" (Mendoza 2: 85).

García Márquez ha citado a varios entrevistadores la misma sección de *Muerte en la tarde* en que Hemingway describe un toro de lidia embistiendo, pasando el capote y luego volviéndose "como un gato doblando la esquina". "Nunca había notado", explica García Márquez, "que lo hace de un modo especial y diferente al de otros animales. Fíjate bien que el gato no se separa de la pared para doblar la esquina, sino que se desliza contra ella, de modo que hay un momento en que la cabeza está en una calle y la cola en otra, porque tiene la espina dorsal doblada en ángulo recto. El toro en el ruedo hace lo mismo con una esquina imaginaria. Parece una tontería, pero esa sola frase de Hemingway me dio una óptica nueva para observar el mundo" (Mendoza 2: 85).

Siguiendo el ejemplo práctico de Hemingway, García Márquez ya no escribe su ficción durante la noche después de escribir periodismo todo el día; y deja de escribir solamente cuando sabe hacia dónde va su narrativa cuando la continúe al día siguiente. Hablando con Plinio Apuleyo Mendoza, García Márquez adopta incluso el vocabulario de Hemingway sobre estas prácticas, refiriéndose a mantener "el jugo" fluir, y permitiendo que "el pozo" se rellene durante los períodos de descanso. "Yo tenía antes la costumbre juvenil de escribir compulsivamente hasta agotar en una jornada todo el material resuelto, y a la mañana siguiente me enfrentaba con el fanstasma de la hoja en blanco, sin saber por donde empezar, y cuando lo lograba ya estaba cansado y de mal humor. El consejo de Hemingway tiene además la ventaja de que le permite a uno seguir enriqueciendo en la mente, durante el resto del día, lo que va a escribir mañana (Mendoza 2: 85).

También está García Márquez enfáticamente de acuerdo con Hemingway en cuanto a las condiciones ideales para la creación literaria: "Hemingway mostró para siempre —y en contra de la noción romántica de la creatividad— que el bienestar económico y la buena salud conducen al buen escribir; que una de las principales dificultades es colocar bien las palabras; que cuando es difícil escribir es bueno releer los libros de uno, para recordar que siempre era difícil; que se puede escribir en cualquier parte con tal que no haya visitas ni teléfono; y que no es verdad que el periodismo acabe con un escritor, como tantas veces se ha repetido — al contrario, con tal que uno lo deje a tiempo" (García Márquez 4: 21). Estas afirmaciones de Hemingway y su repetición por García

Márquez son especialmente importantes porque se refieren a tantas experiencias paralelas de los dos escritores.

Ahora quiero dejar este vistazo a la apreciación de un premio Nobel por otro, y examinar un cuento temprano de García Márquez, "La mujer que llegaba a las seis", y su relación con el cuento de Hemingway, "Los asesinos". Sabemos que en su ficción temprana, publicada inicialmente en revistas y suplementos literarios colombianos y más tarde coleccionada bajo el título *Ojos de perro azul,* García Márquez experimentaba con varios estilos narrativos mientras buscaba su propia voz. Su pieza breve "Un profesional de la pesadilla", no obstante su tono burlesco, mucho debe al artista del hambre de Kafka, y también a "Las ruinas circulares" de Borges. Sus cuentos "Eva está dentro de su gato" y "Tercera resignación" no son imitaciones sino ensayos de técnica y ambiente kafkianos.

Hablando de "La mujer que llegaba a las seis", García Márquez dijo que "el cuento parece más de Hemingway que de G.G.M... pero... no veo por qué debo inyectarle mis habituales dosis de pesadilla, sólo para que Hemingway no se dé el lujo de decir que estos indios de plumas y taparrabo escribieron un cuento que parece suyo" (García Márquez 5). El cuento se publicó originalmente en la revista *Crónica,* el 24 de junio de 1950. Su modelo, "Los asesinos", fue escrito en la Pensión Aguilar en la Carrera de San Jerónimo en Madrid el 16 de mayo de 1926, y se publicó el año siguiente en *Scribner's Magazine.* Más tarde se incluyó en la colección de cuentos de Hemingway *Men Without Women.* Alfonso Fuenmayor, amigo y colega de García Márquez en el Grupo de Barranquilla, publicó una traducción temprana y fiel del cuento hemingwaiano en *Revista de América,* octubre de 1945, y la reimprimió en *Estampa,* en 1949, y también en *Crónica,* 1950 —o sea, la misma revista y el mismo año en que García Márquez publicó su "Mujer que llegaba a las seis—" (Hemingway 1).

Antes de comparar los dos cuentos, repasemos brevemente la trama de la narrativa de Hemingway. Dos asesinos profesionales llegan de Chicago a Summit, Illinois, para matar a Ole Andreson, exboxeador profesional. Los asesinos saben que Andreson cena todas las noches a las seis en el restaurante de Henry, y ellos llegan antes de la hora para cenar y para esperar a su víctima. Después de comer amenazan a George, el dueño del pequeño restaurante, y atan a Sam, el cocinero, y al joven Nick Admas, a través de cuyos ojos se ve la acción. Pero esperan en vano a Ole Andreson, que no viene a cenar al restaurante esa noche. Ya pasadas las seis, Max y Al, con sus abrigos ajustados que revelan las armas que llevan, deciden dejar su "trabajo" para otro día, y salen del restaurante. Nick se apresura a llegar a la pensión de la Sra. Hirsh y contarle a Ole Andreson que los asesinos le buscan. Nick no entiende la pasividad de Andreson ante su muerte inminente:

"¿No quiere usted que vaya y vea a la policía?" —le pregunta Nick.

"No, dijo Ole Andreson. Eso no serviría de nada..."

"¿No podría usted irse de la ciudad?"

"No, dijo Ole Andreson, estoy cansado de tanto huir de un lado para otro.. me metí en un lío... nada se puede hacer".

Confundido y horrorizado, Nick vuelve al restaurante e intenta imaginar lo que Andreson podría haber hecho para merecer tal asesinato. "Debe haberse complicado en algo en Chicago", le explica su jefe, "traicionó a alguien. Por eso lo matan". Pero al final del cuento comprendemos que Nick *sí* puede imaginar claramente la mala fortuna de Andreson. Simplemente la encuentra demasiado horrible para pensar en ella, demasiado lejos de su propio mundo protegido del pueblo y del restaurante.

"No puedo soportar ese pensamiento: que espera en su cuarto lo que sabe que le va a pasar. Es más horrible que el diablo", dice Nick.

"Bueno", le aconseja su jefe, "lo mejor que puedes hacer, es no pensar en eso".

•

El cuento de García Márquez también sucede en un restaurante a las seis de la tarde, y también se trata del descubrimiento del mal. Hay sólo dos personajes: José, el dueño del pequeño restaurante que, como su modelo norteamericano, tiene mostrador y sillas giratorias; y una mujer que él llama simplemente "Reina", que llega todos los días a las seis para cenar. Reina es una prostituta y José la quiere mucho. Aunque ella no puede pagarlo, todas las tardes José le prepara su mejor filete de res. También le ruega que deje la prostitución y que salga con él, una idea que a Reina le parece tan inocente como cómica.

Como el cuento de Hemingway, el de García Márquez sucede en una hora. Reina llega a las seis, se sienta en su lugar habitual del mostrador y empieza a interrogarle a José, a quien llama Pepillo. Probando los celos del protagonista, Reina le pregunta si mataría a un hombre que se fuera con ella, y él confiesa que sí: "Lo mataría porque *se fue* contigo". Un poco más tarde, Reina continúa esta línea de preguntas e intenta descubrir si José la protegería si *ella* matara a un hombre. Avergonzado y confundido, José no responde, y ella empieza a amenazarle: "Contéstame José, ¿me defenderías si yo lo matara?" "... ¿Por mí dirías una mentira, José?" Y, poco a poco, por sus preguntas y declaraciones lacónicas le descubre al lector, si no a José, que ella acaba de matar a uno de sus clientes. Pero Pepillo, con la perspectiva inocente que implica su apodo, continúa pasando un trapo nerviosamente por el mostrador, y se niega a entender el lío en que se ha metido Reina. Para hacerle comprender el asco que le impulsó a matar al cliente, Reina le describe a José lo que aquél le hizo. Pero, en vez de entender sus motivos, Pepillo es incrédulo:

"Eso no lo hace ningún hombre decente..."

"Esto es una barbaridad... por fortuna no hay hombre que haga lo que tú dices".

"Bueno", dice Reina, "¿y si lo hace? Suponte que lo hace".

José continúa limpiando el mostrador, e intenta cambiar el tema de la conversación.

Finalmente Reina comprende que José no le va a entender de un modo razonable, y empieza a usar su amor por ella para manipularle y para constituir su defensa. Le pide un cuarto de hora: "hoy no vine a las seis... vine a un cuarto para las seis". Sin entender su petición, José asiente. Reina le confiesa que piensa abandonar el pueblo, y él destaca su carácter de niño al pedirle que le traiga un osito de cuerda.

"Claro..." le responde Reina, pero "quiero otro cuarto de hora".

"En serio que no entiendo, Reina", confiesa José.

"No seas tonto, José", dice Reina, dando fin al encuentro y al cuento, "acuérdate que estoy aquí desde las cinco y media".

En su cuento García Márquez ha reducido la situación narrativa a un sola escena con dos personajes. Ha combinado los dos criminales, Max y Al, con su víctima consciente, Ole Andreson, en la figura de Reina. Y a ella y su entendimiento del mal ha contrapuesto la inocencia de José-Pepillo, personaje que corresponde a Nick Adams. García Márquez usa varios de los elementos del cuento de Hemingway, unos de los cuales hemos visto ya: el restaurante con mostrador y sillas giratorias, la puntualidad normal de los dos clientes y la interrupción de su rutina en los días en que suceden los dos cuentos.

Otras correspondencias entre los cuentos son más sutiles. Reina, que originalmente es víctima de la agresión de su cliente, ahora es criminal. Andreson, que contravino el código establecido, traicionó a alguien, y así se comportó como criminal, ahora está a punto de ser víctima de los asesinos, agentes de la venganza. Max y Al repetida y sarcásticamente insisten en que sus prisioneros *piensen,* que comprendan lo que está pasando, y por qué los criminales han venido a Summit. "Usa tu cabeza, joven sagaz" dice Al, "... vamos a matar a un sueco... un sueco enorme llamado Ole Andreson". Pero, hasta que visita la pensión de la Sra. Hirsch, Nick no es ningún "joven sagaz", y no comprende por qué le han atado las muñecas y le han metido una toalla en la boca. Tampoco entiende el José de García Márquez que Reina está construyendo su defensa legal haciéndole afirmar que ella llegó al restaurante antes de las seis.

Justo antes de comenzar los dos cuentos, tanto Reina como Ole Andreson han experimentado transformaciones en sus pensamientos, cambios que van a transformar sus vidas. Reina decide dejar la prostitución ("es que *ya no podré* acostarme con nadie", dice), y dejar el pueblo. Ole Andreson decide dejar de huir y quedarse en Summit.

En este cuento temprano García Márquez trata de escapar el "cuartel del idioma" de la Real Academia y de imitar el diálogo directo, tenso y coloquial de Hemingway. García Márquez dijo que, en su versión original, el diálogo era "de albañal" y que tenía que purificarlo para la versión publicada. Aun así, el lenguaje de los personajes es oral e informal, y no se parece a la retórica elegante de las bellas letras: "José... Ven acá, tengo que hablar contigo", le grita Reina al dueño del restaurante. Y cuando no responde inmediatamente, ella grita de nuevo "¡Acércate!", se inclina por encima del mostrador y le agarra por el cabello. Cuando José le dice que está hermosa, le contesta: "dejate de tonterías''. Y cuando él le pregunta si ha tomado algo, ella responde: ''Me tomé dos tragos con un amigo''.

Como muchos cuentos de Hemingway y varios de García Márquez, estos dos terminan sin resolución. No está claro que volverán Max y Al y, si vuelven, que vayan a encontrar a Andreson y matarlo. Tampoco está claro que José vaya a perder su inocencia y que llegue a comprender la petición de Reina y, si la comprende, que dará testimonio de la presencia de ella en el restaurante desde las cinco y media.

''La mujer que llegaba a las seis'' no es tan logrado como los cuentos más tardíos de García Márquez, ni tampoco es tan sutil y poderoso como los mejores cuentos de Hemingway. Sin embargo, es un experimento valioso, un punto de partida. Ocho años más tarde García Márquez tomará las lecciones de Hemingway y las transformará en uno de sus cuentos más exitosos, el cuento que él considera que es el mejor de los suyos y con él que comienza su colección de 1962, *Los funerales de la Mamá Grande:* es decir, ''La siesta del martes''. Mientras tanto, ''La mujer que llegaba a las seis'', cuento no coleccionado y casi desconocido durante los veinte años siguientes a su publicación inicial, afirma que ya en 1950, antes de experimentar con la prosa densa y la maestría verbal de su segundo maestro, antes de concebir el Yoknapatawpha colombiano, García Márquez ya había comenzado una rica cosecha en los campos de su primer maestro, Ernest Hemingway.

REFERENCIAS

Gabriel García Márquez. ''Gabriel García Márquez Meets Ernest Hemingway''. New York *Times,* 26 julio 1981, VII, 1, 16-17.

Gabriel García Márquez. ''Dos o tres cosas sobre la novela de la violencia''. *Tabla Redonda* (Caracas), 5-6 (abril-mayo 1960), 19-20.

Gabriel García Márquez. ''Un hombre ha muerto de muerte natural''. *Novedades,* 9 julio 1961. Reimpreso en *Fitzgerald-Hemingway Annual,* 1979, 247-250.

Gabriel García Márquez. ''Gabriel García Márquez Meets Ernest Hemingway. Correction''. New York *Times,* 2 August 1981, VII, 21.

Gabriel García Márquez. ''Autocrítica''. *El Espectador,* ''Magazín dominical'', 30 marzo 1952. El texto es reproducido por Conrado Zuluaga, *Puerta abierta a García Márquez''.* Bogotá: la Editora, 1982, y por Angel Rama, ''La iniciación literaria de Gabriel García Márquez'', *Texto Crítico* 1 (1975), 5-13.

Jacques Gilard. *Gabriel García Márquez, obra periodística,* Recopilación y prólogo de Jacques Gilard. Vol. 1, *Textos costeños.* Barcelona: Bruguera, 1981.

Ernest Hemingway. ''Los asesinos'' (''The Killers''), traducción de Alfonso Fuenmayor. *Revista de América,* octubre 1945, 144-152. Las citas en castellano del cuento de Hemingway son de esta traducción.

Plinio Apuleyo Mendoza. ''Gabriel García Márquez —El caso perdido''. *La llama y el hielo.* Barcelona: Planeta, 1984.

Plinio Apuleyo Mendoza. ''El encuentro de dos camaradas''. Entrevista con Gabriel García Márquez publicada originalmente en *Libre* (París, 1972) y *Triunfo* (Madrid, 1974), y recopilado en *García Márquez habla de García Márquez.* Recopilación y prólogo de Alfonso Rentería Mantilla. Bogotá: Rentería Editores, 1979.

Mario Vargas Llosa. ''De Aracataca a Macondo''. *Nueve asedios a García Márquez.* Santiago de Chile: Editorial Universal, 1969, 126-146.

Mario Vargas Llosa. *Historia de un decidido.* Barcelona: Barral Editores, 1971.

EL TEMA DE LA VIOLENCIA EN EL PERIODISMO DE GARCIA MARQUEZ: EPOCAS Y ENFOQUES DIFERENTES

John Benson
Western Michigan University

La violencia, elemento omnipresente en la obra narrativa de García Márquez, es también frecuente como tema de su periodismo. De hecho, la fase inicial de su carrera periodística, realizada en Cartagena, Barranquilla y Bogotá entre 1948-1955, coincide con el apogeo de "la Violencia" en Colombia. La segunda época del periodismo colombiano de García Márquez se cumple en la revista *Alternativa* y en *El Espectador* entre 1974-1984 y se efectúa dentro de un ambiente de tensión y de constante preocupación por el resurgimiento del ya tradicional flagelo de las guerrillas y la represión.[1] En ambos casos, primero bajo el gobierno de Rojas Pinilla y luego durante el de Turbay Ayala, el periodista se ve obligado a salir del país.

A pesar de ciertas similitudes, las dos etapas del periodismo colombiano de García Márquez son fundamentalmente diferentes en lo que al tratamiento del tema de la violencia se refiere. Durante el primer período son muy pocas las ocasiones en que el periodista enfoca claramente la realidad socio-política del país. A excepción de unas cuantas columnas publicadas en *El Universal* y *El Heraldo* y algunos reportajes hechos para *El Espectador,* García Márquez prefiere limitarse a temas apolíticos, algunos de los cuales rayan en lo frívolo. Mediante un enfoque humorístico el columnista suele buscar la novedad y el interés humano en los más variados temas de la vida cotidiana. Sólo de vez en cuando aparece alguna referencia velada a la cruenta problemática nacional.

[1] Por el "periodismo colombiano" de García Márquez entendemos su obra escrita para la prensa colombiana y principalmente para un público colombiano. Parte de esta obra, tanto en la época inicial como en la más reciente, se escribió en el extranjero.

Más que a la censura, esta actitud parece obedecer al deseo del joven escritor de utilizar la experiencia periodística como medio de alcanzar la fama literaria. Con respecto a su trabajo en esta época García Márquez ha dicho: "Cuando yo escribía en los periódicos, el sueño de mi vida era ser un novelista célebre, afamado en todo el mundo".[2] Al contrario, durante la segunda época de su periodismo colombiano el ya célebre novelista revela nítidamente su franca preocupación por la renovada violencia y represión. Aprovechándose de su fama literaria, el escritor se dedica a hacer un periodismo comprometido en el cual rechaza toda violencia, tanto de parte de los grupos de oposición como del gobierno. Son estos dos enfoques del tema de la violencia en la obra periodística de García Márquez lo que nos proponemos detallar y analizar en nuestro estudio.

Un breve inventario de los títulos de las columnas escritas por el periodista costeño para *El Universal* de Cartagena y *El Heraldo* de Barranquilla revela una variedad temática insólita. Sirvan de ejemplo las "jirafas" publicadas durante veinte y siete artículos: "Visita a Santa María", "Las estatuas de Santa María", "Metafísica de la cocina", "El libro de Castro Saavedra", "De la santa ignorancia deportiva", "Ricardo González Ripoll", "La conciencia de Pancho", "Defensa de los ataúdes", "La exposición de Neva Lallemand", "Surrealismo suicida", "Ciudades con barcos", "Abelito Villa, Escalona y Cía", "Fricciones a la Bella Durmiente". Aquí se encuentran temas inspirados en los viajes, las tiras cómicas, la lectura de otros periódicos, la literatura, la música, en casi cualquier cosa. La verdad es que casi cualquier tema le servía al columnista ya que le interesaba más el cómo que el qué. En este sentido es acertada la observación que hace Jacques Gilard sobre el predominio del estilo en estos años:

> García Márquez, como periodista y como escritor, es y ha sido siempre un estilista. Pero ello es más sensible que nunca cuando se considera su labor de comentarista de prensa y humorista, en la que muchas veces trataba de llenar un espacio, de decir cosas —a veces muchas cosas— a pro-

[2] Entrevista concedida a Juan Gossaín, "Novelista y reportero (1) —'Ni yo mismo sé quién soy': Gabo", *El Espectador* (Bogotá: 17 enero 1971), pág. 18-A.

pósito de poco o de nada. Entonces, todo venía a ser cuestión de estilo: de manera de decir las cosas, y también de manera de plantearlas, con lo cual se amplía bastante la estrecha noción de estilo. Y con agravante en el caso de García Márquez: su ambición de ser escritor lo llevaba —algo narcisísticamente— a privilegiar más aún la búsqueda de planteamientos y expresiones originales. Quizás sea esto útimo lo que más definitivamente marca el periodismo de García Márquez en los primeros cinco años".[3]

La poca importancia que García Márquez le concede al tema queda demostrada de manera muy convincente en más de una ocasión en que el periodista muestra saber elaborar hábilmente columnas sobre los asuntos más anodinos. Por ejemplo, sus comentarios sobre la inutilidad del día jueves revelan ese talento de convertir la nada en algo, logro del cual hace alarde el escritor en el párrafo final: "Indiscutiblemente, el jueves es un día entre paréntesis. Sólo sirve para escribir sobre su inutilidad cuando no es posible desarrollar otro tema de mayor interés".[4] Otro ejemplo del predominio del estilo sobre el tema lo constituye la columna "La importancia de la letra X", la que el redactor logra hacer interesante a pesar de la poca sustancia de su contenido. De nuevo es patente el esfuerzo del columnista por convertir en tema algo que él mismo reconoce ser puro entretenimiento estilístico: "Es por eso por lo que hoy, después de haber pasado un día angustioso tratando de encontrar un alimento adecuado para esta jirafa diaria, me he formulado la única pregunta posible: ¿xxxxxxxxxx?"[5].

Acaso el ejemplo más claro de la poca consideración que al joven periodista le merece el tema sea su "jirafa" titulada "Tema para un tema". El autor afirma que hay personas que convierten la falta de tema en tema para una nota periodística, lo cual es absurdo debido a la abundancia de temas de interés que cualquiera puede descubrir en cualquier periódico. Sin embargo, cuando pasa

---

[3] Jacques Gilard, prólogo a *Obra periodística, Vol. 1, Textos costeños* de Gabriel García Márquez (Barcelona: Bruguera, 1981), pág. 34.

[4] "Punto y aparte", *El Universal* (Cartagena: 24 junio 1948), pág. 4.

[5] "La importancia de la letra X", columna "La Jirafa", *El Heraldo* (Barranquilla: 5 mayo 1950), pág. 3.

revista a la prensa el columnista se frusta al darse cuenta de que ninguna de las múltiples noticias triviales le sirve para hacer su "jirafa" diaria. Luego, al borde del pánico ante la marcha del tiempo, escribe la frase inicial de la columna, que es la misma con que inició esta "jirafa": "Hay quienes convierten la falta de tema, en tema para una nota periodística'. El recurso es absurdo ... ¡Caramba, pero muy fácil! ¿No es cierto?"[6] Es decir que entre la afirmación inicial de que la falta de tema puede servir de tema y la frase final que indica que es precisamente eso lo que ha pasado aquí, García Márquez ha echado unas 450 palabras de paja, divertida por cierto.

Si bien García Márquez muestra poco interés por la selección de sus temas en esta primera fase de su periodismo, sí presta mucha atención a la elaboración literaria de ellos y a la literatura en general. Además de los cuentos publicados como tales en esta época, hay varias docenas de "jirafas" dedicadas a la literatura, bien sea a la obra creativa del propio columnista o al comentario de la de otros. Son numerosos los relatos o trozos de relatos como "El huésped" (19/V/50), "El desconocido" (20/V/50), "La pesadilla" (16/VI/50), "NY" (29/VI/50) y (17/XI/50), "Las dos sillas" (15/VIII/50), "Nus, el del escarbadientes" (28/VII/50), "Caricatura de Kafka" (23/VIII/50) y "La verdadera historia de Nus" (6/IX/50). Hay otras columnas de género menos definido pero de clara intención literaria como "Un profesional de la pesadilla" (11/X/50), "Final de Natanael" (13/X/50), la serie titulada "Relato del viajero imaginario" (febrero-marzo de 1951) y la serie sobre la extraña relación entre la excéntrica Marquesa y su marido Boris (abril, mayo, junio de 1950). Tampoco faltan escritos que pueden considerarse apuntes para obras más extensas: "La hija del coronel -1- Apuntes para una novela" (13/VI/50), "El hijo del coronel -1- Apuntes para una novela" (23/VI/50), "Para un primer capítulo" (8/XI/50), "El regreso de Meme -1- Apuntes de una novela" (22/XI/50), "Apuntes" (9/I/51), "Otros apuntes" (10/I/51) y "Apuntes" (29/I/51). El comentario literario se practica en las siguientes "jirafas": "José Félix Fuenmayor, cuentista" (27/V/50), "Tribunal a paso de Conga"

---

[6] "Tema para un tema", columna "La Jirafa", *El Heraldo* (Barranquilla: 11 abril 1950), pág. 3.

(15/VI/50), "Al otro lado del río y entre los árboles" (21/VI/50) y "Rostro en la soledad" (11/VI/52). Estos numerosos ejemplos, sin constituir una lista completa de las "jirafas" de índole literaria, dan claro indicio de la importancia que tiene lo literario para el periodista durante esta época en que "la Violencia" alcanzaba su apogeo.

Las abundantes manifestaciones de las preocupaciones estilísticas y literarias del periodista costeño contrastan con la parquedad de su expresión con respecto a la dramática realidad nacional. Sólo en parte se puede atribuir a la censura esta falta de comentario socio-político sobre "la Violencia". Es cierto que después del nueve de abril de 1948 se vive bajo una censura casi constante, pero en Barranquilla la censura fue menos drástica que en otras regiones del país. Algunos de los dirigentes conservadores locales eran amigos de los jóvenes intelectuales que escribían en los periódicos y revistas de la ciudad. Además, el gobierno del Atlántico no dejó que el gobierno central impusiera su política de represión en Barranquilla. Si bien Cartagena no se escapó del todo de los estragos de "la Violencia", se puede decir que dentro de ciertos límites *El Heraldo* de Barranquilla podía informar sobre la realidad nacional.[7]

En las pocas ocasiones en que enfoca el problema del orden público, García Márquez lo suele hacer de soslayo, como parte de un tema o contexto más amplio. Esto es menos cierto en el caso de algunas columnas publicadas en Cartagena que en las "jirafas", pero aún en la primeras el énfasis recae en el ambiente producido por una violencia latente y no en casos específicos de violaciones de la libertad y la justicia. En una columna de mayo de 1948, por ejemplo, García Márquez hace notar las amenazas representadas por el toque de queda en la ciudad amurallada:

> El toque de queda es —en este orden de las cosas— el símbolo de una decadencia. Hay una gran distancia histórica entre esta claridad prohibida y la voz amable del sereno colonial. Este de ahora es hermano del que oyeron los ingleses después del primer bombardeo a Londres. Igual al de Varsovia. El mismo que levantó su trinchera de terror ante los

[7] Jacques Gilard, prólogo a *Obra periodística, Vol, 1, Textos costeños* de Gabriel García Márquez, pag. 40.

ojos asombrados de los niños alemanes que cambiaron sus trompos por ametralladoras.[8]

De la misma manera se refiere a este ambiente de violencia en una nota del mes siguiente: "en nuestro ámbito no cabe sino el fantasma del espanto, porque hemos aprendido de la experiencia que no es más serena la vida ni más tranquilo el sueño a la sombra de las bayonetas".[9] Sólo en su comentario sobre la muerte de Braulio Henao Blanco, el redactor de "Punto y Aparte" trata directamente un hecho concreto de "la Violencia", diciendo sin ambages que el líder liberal ha sido asesinado por razones políticas: "Recto, empinado y magnífico ha caído Braulio Henao Blanco bajo el llameante soplo de la violencia. La fuerza de sus ideas, de sus convicciones ideológicas, de su palabra relumbrante, hicieron de su voz una clarinada que estremecía las consignas arbitrarias".[10]

En los varios centenares de "jirafas" escritas entre enero de 1950 y diciembre de 1952 son proporcionalmente más escasas las menciones de la gran convulsión nacional, que a pesar de concentrarse en otras regiones, debería de haber sido de mucho interés para los lectores de *El Heraldo.* De hecho, no se puede hablar de un sola columna dedicada exclusivamente al tema de "la Violencia". En "La reina en Cartago" se alude al hecho de que la mera presencia de una reina de belleza basta para levantar el toque de queda en esa ciudad.[11] En "Algo que se parece a un milagro" se comenta el renacimiento de la alegría en La Paz, Magdalena, pueblo destruido en parte durante "ciertos episodios amargos, ocurridos hace más de un mes".[12] En una tercera "jirafa", "La paz gramatical", el redactor afirma medio en serio que más valdría intentar lograr la paz repartiendo textos gramaticales entre los bandoleros que con fusiles.[13] En esto, pues, consisten las

---

[8] "Punto y aparte", *El Universal* (Cartagena: 21 mayo 1948), pág. 7.

[9] "Punto y aparte", *El Universal* (Cartagena: 22 junio 1948), pág. 4.

[10] "Punto y aparte", *El Universal* (Cartagena: 23 junio 1948), pág. 4.

[11] "La reina en Cartago", columna "La Jirafa", *El Heraldo* (Barranquilla: 28 agosto 1952), pág. 3.

[12] "Algo que se parece a un milagro", columna "La Jirafa", *El Heraldo* (Barranquilla: 15 marzo 1952), pág. 3.

[13] "La paz gramatical", columna "La Jirafa", *El Heraldo* (Barranquilla: 28 agosto 1952), pág. 3

referencias más claras y más fuertes a una realidad que devoraba el país.

Hay varias otras ocasiones en que el periodista de *El Universal y El Heraldo,* sin referirse directamente a la violencia, alude de paso a la discordia política nacional o a la falta de libertades ciudadanas. Por lo general estos comentarios surgen a raíz de alguna comparación con un hecho o personaje de otro país. Al comentar la victoria de Joe Louis sobre Jersey Joe Walcott, García Márquez no resiste la tentación de decir que con la fuerza de sus puños, en Colombia aquél "habría tenido una luminosa trayectorial electoral".[14] La visita del príncipe Bernardo de Holanda provoca otra comparación entre el mundo exterior y la situación política colombiana: "Un pueblo que a pesar de los tropezones conocidos sigue pensando en la democracia, en los sistemas republicanos y hasta en las elecciones, debió de sentirse un poco atolondrado ante un príncipe de cuerpo presente".[15] De igual manera la campaña electoral de Eisenhower y Stevenson en Estados Unidos produce un breve comentario medianamente serio sobre las campañas electorales colombianas.[16] Con todo, en estos y otros casos, se trata de la referencia pasajera y frecuentemente humorística que no aborda ni el problema de "la Violencia" ni la realidad socio-política que la fomenta.[17] Visto dentro del contexto general de la obra periodística garciamarquina en Cartagena y Barranquilla, el tema de la violencia ocupa un lugar de poca importancia, cediendo, como ocurre con otros temas, ante el afán estilístico y literario del joven redactor que soñaba con ser novelista.

Es en ese mismo plan de hacer literatura que García Már-

---

[14] "Punto y aparte", *El Universal* (Cartagena: 26 junio 1948), pág. 4.

[15] "Un príncipe con anteojos", columna "La Jirafa", *El Heraldo* (Barranquilla: 7 noviembre 1952), pág. 3.

[16] "Política sin emociones", columna "La Jirafa", *El Heraldo* (Barranquilla: 31 octubre 1952), pág. 3.

[17] Algunos otros textos en que se alude de alguna manera a la situación nacional son "Punto y aparte"..., *El Universal:* (30/V/48 y 4/IV/48); Columna "La Jirafa", *El Heraldo:* "No era una vaca cualquiera" (3/IV/51), "¿Dónde están los borrachos?" (17/X/50), "Motivos para ser perro" (20/III/50), "Un concurso de oratoria" (1/VI/50), "Memorias de un aprendiz" (9/II/51), "El barbero presidencial" (16/III/50).

quez entra a *El Espectador* a fines de 1953.[18] Recuerda: "Cuando ingresé a la redacción de *El Espectador* —en 1953— José Salgar fue el jefe de redacción desalmado que me ordenó como regla de oro del periodismo: 'Tuérzale el cuello al cisne'. Para un novato de provincia que estaba dispuesto a hacerse matar por la literatura, aquella orden era poco menos que un insulto".[19] Sin embargo, es un consejo que se ve precisado a seguir hasta cierto punto, pues en el diario bogotano no cuenta con la misma oportunidad creativa que le deparaba su condición de Septimus en *El Heraldo*. Gran parte de su actividad periodística en *El Espectador* la ocupa la redacción de crítica cinematográfica ("Estrenos de la semana") y de notas editoriales para la columna "Día a día". Para esta última tarea ya estaba bien preparado y la continua práctica del género le permitió seguir trabajando su estilo. El hecho de que las notas no firmadas de "Día a día" no siempre las escribía el mismo redactor dificulta el análisis de estas columnas. Por otra parte, no es eso lo que más interesa aquí, pues la poca atención que presta el periodista a la realidad socio-política inmediata se manifiesta más bien en sus grandes reportajes, los cuales consituyen el aporte más valioso a su periodismo capitalino de esta época. Algunos pocos, como *El relato de un náufrago,* contienen críticas más o menos veladas en contra del gobierno del general Rojas Pinilla, lo cual a la larga influye en la decisión del periódico de mandar al reportero a Europa como corresponsal.[20] En lo que a "la Violencia" concierne, son de interés especial los artículos sobre los veteranos de Corea y los niños desplazados.[21]

---

[18] Es difícil precisar la fecha del inicio de las labores de García Márquez en el periódico capitalino. Gilard sitúa su ingreso como redactor de planta en enero de 1954, pero reconoce que esto puede haber ocurrido después de un período de prueba. Consúltese el prólogo a *Obra periodística, Vol. III, Entre cachacos-1* de Gabriel García Márquez (Bogotá: La Oveja Negra, 1982), pág. 5.

[19] "Aquel tablero de las noticias", *El Espectador* (Bogotá: 18 septiembre 1983), pág. 2-A.

[20] Este reportaje, con prólogo de su autor, se recogió en tomo y se publicó en 1970: *Relato de un náufrago* (Barcelona: Editorial Tusquets, 1970). El título original publicado en *El Espectador* es "La odisea del náufrago sobreviviente del ARC Caldas. La verdad sobre mi aventura". Este título, lo mismo que una breve presentación de la serie de los catorce artículos, àparece en *El Espectador* del día 26 abril 1955.

[21] "De Corea a la realidad". Serie de tres reportajes publicados en *El Es-*

El regreso de los últimos soldados colombianos enviados a "un país del cual la mayoría de ellos no había oído hablar nunca"[22] le da al periodista la ocasión no sólo de señalar las injusticias de que han sido víctimas estos jóvenes por parte del gobierno, sino también oportunidad de comentar la realidad nacional. Muchos de los que fueron a Corea, dice el autor, lo hicieron para escaparse de algo peor:

> Aquello ocurría precisamente en uno de los momentos más difíciles de la historia nacional. Los campesinos habían sido desplazados de sus tierras. Las ciudades, superpobladas, no ofrecían ninguna perspectiva... Para muchos campesinos desplazados, para numerosos muchachos sin perspectiva, incluso sin distinción de clases, Corea fue una solución. Entre los campos de batalla de Colombia y las ciudades de batalla de Colombia, en donde la simple, la ordinaria tentativa de conseguir trabajo era todo un problema de guerra, muchos prefirieron los campos de batalla de Corea.[23]

Otra referencia significativa a "la Violencia" hecha por el reportero de *El Espectador* aparece pocos días después del último artículo sobre el náufrago. En sus informes sobre los 3.000 niños "huérfanos a consecuencia de la violencia", García Márquez aclara que el origen de la crisis es el problema de orden público que aqueja la región del oriente del Tolima, territorio que durante once días se declaró "zona de operaciones militares".[24] Describe la impresionante situación que vive la población de Villarica, cuyo comercio está aniquilado y cuyos habitantes ya llevan varios meses con el toque de queda. No obstante la revelación de tales datos y la clara alusión a "la Violencia", el enfoque principal de este artículo son los 300 niños que han llegado al Amparo de Niños en Bogotá. De manera indirecta, el reportero com-

---

pectador los días 9, 10 y 11 de diciembre de 1954. "El drama de 3.000 niños colombianos desplazados", *El Espectador* (Bogotá: 6 mayo 1955), págs. 1 y 3.

[22] "De Corea a la realidad. Veteranos de guerra víctimas de la paz", *El Espectador* (Bogotá: 9 diciembre 1954), pág. 1.

[23] "De Corea a la realidad (II). El héroe que empeñó sus condecoraciones", *El Espectador* (Bogotá: 10 diciembre 1954), pág. 11.

[24] "El drama de 3.000 niños colombianos desplazados", *El Espectador* (Bogotá: 6 mayo 1955), pág. 1.

para la falta de interés del gobierno por la suerte de las víctimas con la encomiable labor realizada por esta institución privada. Como en el caso de los veteranos de Corea, aquí se trata de una moderada y solapada crítica contra el gobierno por el descuido de las víctimas, y no de una franca condena por ser responsables de la violencia en sí.

Los últimos meses en que García Márquez escribe con alguna regularidad para *El Espectador* lo hace desde Europa como corresponsal.[25] Los artículos y series que envía desde Suiza, Italia, Austria y Francia son interesantes por diversos motivos pero, como es lógico, no tratan el tema de la violencia. Apenas hay en estos comentarios una que otra referencia pasajera al ambiente de libertad, a la falta de policías, soldados, tanques y ametralladoras, elementos que el colombiano está acostumbrado a encontrar en su país.[26] En abril de 1956 García Márquez concluye su colaboración regular en la prensa colombiana. A partir de este momento sus aportes al periodismo nacional son muy poco abundantes. Son de interés, sin embargo, sus observaciones sobre la novela de la violencia expresadas en un artículo publicado en 1959 y en otro del año siguiente.[27] Dice el autor, ahora tal vez más literato que periodista practicante, que ese género no ha dado buenos frutos en Colombia porque no existe esa tradición literaria ni ha habido testigos de los hechos con adecuada técnica para novelar lo que han visto. Estas opiniones sobre la novela de la violencia pueden discutirse, pero queda claro que en lo que al propio García Márquez le atañe, no hay durante toda esta etapa de su periodismo colombiano mayor interés por abordar el tema de la violencia. Las pocas veces que lo hace, casi siempre lo pone en segundo plano como telón de fondo o le da un tratamiento anec-

---

[25] Este período europeo comienza en julio de 1955 y finaliza en abril de 1956, mes en que se cierra *El Independiente.* Bajo ese título se publicó *El Espectador* entre el 15 de febrero y el 15 de abril.

[26] Consúltense los siguientes artículos de García Márquez: "Ginebra mira con indiferencia la reunión", *El Espectador* (Bogotá: 18 julio 1955), pág. 1; "El proceso de los secretos de Francia II- Un telegrama secreto que conoció todo el mundo", *El Independiente* (Bogotá: 19 marzo 1956), pág. 5.

[27] "Dos o tres cosas sobre la novela de la violencia", *La calle* II, 103 (Bogotá: 9 octubre 1959), págs. 12-13; "La literatura colombiana, un fraude a la nación", *Acción Liberal* 2 (Bogotá: 1960) págs. 44-47.

dótico. Este hecho contrasta marcadamente con el vivo interés que manifiesta por el estilo y los temas literarios. En fin, se trata en esta época de un periodista que, según él mismo lo reconoce, soñaba con "ser un novelista célebre, afamado en todo el mundo".[28]

Este enfoque sobre la violencia cambia notablemente en la segunda época del periodismo colombiano de García Márquez, la cual consiste principalmente en su colaboración literaria para dedicarse nuevamente al periodismo, pero esta vez al periodismo comprometido. Así lo explica en una entrevista publicada en *Alternativa:*

> Sí, he hecho una pausa literaria para dedicarme al periodismo político. Creo que es la culminación natural de un proceso de 40 años; no se puede estar tanto tiempo explorando la realidad de un país, tratando de interpretarlo y de entenderlo, ni se puede padecer tanta nostalgia sin alcanzar un grado de compromiso como éste.[29]

Ya no se trata del joven redactor que quería utilizar el periodismo como escuela de aprendizaje literario sino del novelista consagrado que intenta aprovechar su fama para tratar de influir en la situación socio-política de su país y de otros. En otra entrevista con *Alternativa* García Márquez dice lo siguiente con respecto a su fama: "... me la gasto en política, es decir: la pongo al servicio de la revolución latinoamericana".[30]

La revista *Alternativa,* de carácter fundamentalmente político, era obviamente un buen fondo para llevar a la práctica ese objetivo. Así es que no sorprende el que todos los artículos escritos por García Márquez para esa revista entre 1974-1980, treinta y tres en total, versen sobre temas políticos de diversa índole. Como prueba de la importancia que García Márquez les da a los temas políticos en esta segunda etapa de su periodismo, acaso sea aún más revelador su trabajo como columnista dominical en *El Especta-*

---

[28] Entrevista con Juan Gossaín, pág. 18-A. Véase número 2.

[29] "*Alternativa* entrevista a Gabriel García Márquez: 'estoy comprometido hasta el tuétano con el periodismo político'", *Alternativa* 29 (31 marzo - 13 abril 1975), pág. 2.

[30] "Con García Márquez desde Cuba (II): 'La fama me la gasto en polí-ca'", *Alternativa* 94 (16 agosto - 23 agosto 1976), pág. 6.

dor. De las 172 columnas publicadas entre el 14 de septiembre de 1980 y el 11 de marzo de 1984, por lo menos cincuenta y una tratan asuntos políticos. Es una cifra sumamente alta que contrasta con la escasez de los temas políticos de la primera etapa del periodismo garciamarquino. Sin embargo, la diferencia más evidente estriba en el tratamiento que se le da al tema político en este período más reciente. En lugar del enfoque humorístico y del distanciamiento del tema, relegado a un segundo plano, se encuentra el comentario directo, sin rodeos. Muchos de estos nuevos escritos se refieren a asuntos internacionales y por lo tanto no los trataremos aquí. Hay, sin embargo, muy numerosos artículos dedicados al problema de la violencia colombiana, repletos de ejemplos del nuevo enfoque que el periodista le da a esta viacrucis nacional. Sus preocupaciones por el resurgimiento del ciclo violento se dividen entre el recrudecimiento de las actividades guerrilleras y el terrorismo oficial.

Una de las manifestaciones más tempranas y más claras del temor que siente García Márquez en cuanto a un nuevo período de violencia se encuentra en un breve artículo publicado en *Alternativa* en 1977.[31] El autor hace un recuento de los antecedentes más obvios que produjeron la violencia en Colombia, "una recopilación de escuela primaria", para que estén enterados de ellos los menores de treinta años, a quienes algunos tratan de convencer que "estos horrores no sucedieron nunca". No obstante este afán didáctico de proporcionar un resumen histórico, lo que más le interesa al periodista es "la impresión nítida de que la historia está a apunto de repetirse de nuevo, punto por punto, con una precisión asombrosa".[32] Explica este presentimiento en otra ocasión al hacer notar el carácter doble del ciclo: "Por un lado tenemos la represión feroz que se está desarrollando y que se ha institucionalizado con el Estatuto de Seguridad; y, por el otro, el peligro de que estas fórmulas represivas no hagan sino alimentar y llenar de argumentos a los grupos terroristas".[33] Esto, afirma García

---

[31] "Sólo para menores de 30 años", *Alternativa* 114 (6 mayo - 22 mayo 1977), págs. 6-7.

[32] *Ibid.*, pág. 7.

[33] "Habla García Márquez; 'La realidad se ha vuelto populista'", *Alternativa* 188 (13 noviembre - 20 noviembre 1978), pág. 3.

Márquez, "sería el comienzo de una dialéctica infernal".[34]

Desde las páginas de *Alternativa* el periodista llama la atención al problema de la represión oficial practicada durante el gobierno de Turbay Ayala. Ante las repetidas afirmaciones hechas por éste negando la existencia de tal represión, García Márquez llega a proponer al presidente que invite a tres periodistas extranjeros a conocer la situación de los derechos humanos en Colombia.[35] Estos tres invitados, uno del New York Times, otro de *Le Monde* y otro de *L'Observatore Romano* vendrían a acompañar al profesor norteamericano Paul Hochstin, supuestamente ya invitado por el ministro de defensa.[36] Las críticas contra la represión y contra sus responsables más altos se acentúan en los comentarios sobre la etapa mexicana del extenso viaje internacional del presidente colombiano. Según el periodista, Turbay deja muy mala impresión en México, en donde le sacan muchas fotos, todas iguales, porque siempre aparece junto a su ministro de defensa.[37] Así no mejora la imagen del país ni remienda "la mala imagen que tiene su gobierno en el mundo entero por la violación impertérrita de los derechos humanos".[38] Las críticas lanzadas en *Alternativa* llegan a su punto culminante con el artículo titulado "Por qué no le creo nada, señor Turbay". Dice el autor que "miles de hombres y mujeres —culpables o inocentes—... han sido sacados de sus casas y maltratados como perros en las cárceles militares".[39] En esta ocasión García Márquez aclara que el problema no radica en las Fuerzas Armadas, sino que es el mismo presidente Turbay el responsable más alto de los atropellos y torturas.[40]

Después de cerrarse *Alternativa* en marzo de 1980, García

---

[34] *Ibid.*

[35] Esta sugerencia hace García Márquez en su calidad de presidente de la Fundación *Habeas,* organización internacional pro derechos humanos fundada en 1978.

[36] "La propuesta de García Marquez —El presidente no tiene quien le escriba", *Alternativa* 202 (5 marzo - 12 marzo 1979), pág. 8.

[37] "Colombia en México - El costoso e inútil viaje de Turbay", *Alternativa* 217 (14 junio - 21 junio 1979), pág. 2.

[38] *Ibid.*, pág. 4.

[39] "Por qué no le creo nada, señor Turbay", *Alternativa* 219 (28 junio - 5 julio 1979), pág. 2.

[40] *Ibid.*, pág. 3.

Márquez continúa denunciando el terrorismo gubernamental desde su columna de *El Espectador,* iniciada en septiembre del mismo año. Dada la naturaleza personal de las acusaciones hechas en *Alternativa* por este escritor que aún antes de ganarse el premio Nobel ya se consideraba poco menos que patrimonio nacional,[41] no es raro que a los pocos meses de iniciar su columna en un diario tan influyente se haya creído obligado a abandonar el país. Al contrario de la salida del reportero aspirante a novelista que viaja para Europa en julio de 1955; esta salida del novelista célebre constituye toda una noticia, incluso a nivel internacional. En esta oportunidad García Márquez no sólo comenta de nuevo las torturas de los presos políticos, muchas de las cuales ya habían sido comprobadas por Amnesty International, sino que revela haber recibido "una información muy seria de que había una orden de detención contra mí, emanada de la justicia militar".[42] A pesar de que algunos viejos amigos le dan toda clase de seguridades, el escritor no quiere correr el riesgo de quedarse.[43] En un artículo publicado poco después, García Márquez explica su decisión. Entre otras razones nota que de haberse quedado en Colombia su condición de escritor no le hubiera servido de nada, "porque se trataba de demostrar que para las fuerzas de represión de Colombia no hay intocables".[44] El escritor se niega a volver a Colombia en estas condiciones y sólo regresa al país después de acabarse el pe-

---

[41] Según una encuesta realizada en Colombia por Caracol, en la que participaron 573 periodistas, a García Márquez se le consideraba el colombiano más destacado de los años setenta. Véase "Gabo en la década", *Alternativa* 246 (10 enero - 17 enero 1980), pág. 2.

[42] "Breve nota de adiós al olor de la guayaba", *El Espectador* (Bogotá: 239 marzo 1981), pág. 2-A.

[43] Algunos han puesto en duda la seriedad de la información que provocó la salida de García Márquez hacia México el 26 de marzo de 1981, alegando incluso que se trataba de un truco publicitario para vender *Crónica de una muerte anunciada* que iba a publicarse en esos días. (Ignoraban tal vez que la totalidad de la edición ya estaba vendida a distribuidores de varios continentes). Los que conocen bien al escritor refutan tales acusaciones. Guillermo Cano afirmó en su "Libreta de apuntes" que García Márquez tuvo que tener "información seria" porque de otra manera no hubiera salido de Colombia. Consúltese "Defensa de lo defensable..." en *El Espectador* (Bogotá: 29 marzo 1981), pág. 2-A.

[44] "Punto final a un incidente ingrato", *El Espectador* (Bogotá: 5 abril 1981), pág. 2-A.

ríodo presidencial de Turbay. A pesar de sentir admiración por el nuevo presidente, Belisario Betancur, decide no aceptar una invitación a la inauguración de su gobierno para que ese gesto no se interprete como aprobación u olvido de los abusos y actos de terrorismo oficial del gobierno de Turbay, el cual califica como "el peor gobierno que ha tenido mi país en toda su historia".[45]

La persecución de los intelectuales es un tema que surge con cierta frecuencia en las columnas de García Márquez durante esta nueva época de *El Espectador.* Los casos de Luis Vidales y Feliza Bursztyn merecen la atención del periodista, ahora radicado en México. El asalto a la casa de esta última escultora de salud muy delicada, provoca una enérgica condena de parte del columnista contra el terrorismo oficial. Describe la campaña del gobierno como "una guerra abierta contra los intelectuales y los artistas que tengan la temeridad de pensar".[46] Cuenta el periodista que ciento sesenta y seis días después de haberse visto obligada a abandonar Colombia, Feliza Bursztyn muere de tristeza en París, víctima del injusto exilio impuesto por motivos jamás explicados.[47]

García Márquez no sólo hace destacar la campaña de persecución de los intelectuales, sino que también sugiere la complicidad oficial en las acciones de algunos grupos extremistas. Al referirse al MAS, organización que acababa de atribuirse el asesinato de un conocido abogado defensor de presos políticos, el periodista de *El Espectador* opina que es difícil explicar la libertad de acción de este grupo si no se supone la complicidad de las autoridades. Al considerar el problema de los escuadrones de la muerte en Colombia, vuelve a manifestar su repudio por el terrorismo, "venga de donde viniere, y cualquiera sea su finalidad".[48] Con esta afirmación García Márquez muestra, una vez más, su preocupación por ambas caras de la moneda circular que es la violencia.

La represión oficial responde, en parte al menos, a la otra mi-

[45] "¿Y de la guayaba qué?" *El Espectador* (Bogotá: 25 julio 1982), pág. 2-A.
[46] "Breve nota de adiós al olor de la guayaba de Feliza Bursztyn", *El Espectador* (Bogotá: 2 agosto 1981), pág. 2-A.
[47] "Los 166 días de Feliza", *El Espectador* (Bogotá: 17 enero 1982), pág. 2-A.
[48] "Crónica de mi muerte anunciada", *El Espectador* (Bogotá: 14 marzo 1982), pág. 2-A.

tad de la ecuación violenta: las guerrillas. El periodista de *El Espectador* nota que estas fuerzas no están tan derrotadas como lo quisieran los militares.[49] Al contrario, afirma que la lucha armada contra el poder establecido está más extendida que nunca. Lejos de tratarse de bandas dispersas con escopetas, es cuestión de "un verdadero ejército marginal con bazucas y morteros capaces de tronar frente al propio dormitorio del presidente de la República".[50] Esta realidad apremiante la empeora la debilidad del gobierno de Turbay. El periodista llega a decir que la situación era mejor durante "la Violencia" ya que entonces existía cuando menos una oligarquía capaz que tenía cierta sensibilidad social.[51]

La preocupación de García Márquez por la creciente amenaza de las guerrillas no se basa exclusivamente en sus propias observaciones. Recuerda que cuando el general Omar Torrijos visitó la costa atlántica colombiana poco antes de su muerte quedó asombrado al ver los ejércitos privados que tenían los hacendados para defenderse de los guerrilleros o bandoleros comunes. Dice el columnista que Torrijos "tuvo la impresión de estar viviendo de nuevo una experiencia que había vivido años antes en El Salvador".[52] Este ciclo perpetuado tanto por los ejércitos privados como por los guerrilleros se describe también en dos artículos redactados por Germán Santamaría para *El Tiempo* y comentados por el columnista de *El Espectador*. Santamaría afirma que la región del Magdalena Medio es una especie de El Salvador chiquito. García Márquez advierte, sin embargo, que la eterna serie de acción-reacción entre las fuerzas contrarias de este extenso territorio lo ha convertido más bien en un El Salvador grande.[53]

Acaso lo más triste del resurgimiento de "la Violencia" para el periodista García Márquez sea el temor de que este mal forme parte de la idiosincracia nacional. Su pesimismo se hace patente

---

[49] "Enders atraviesa el espejo", *El Espectador* (Bogotá: 5 julio 1981), pág. 2-A.

[50] "Breve nota de adiós al olor de la guayaba de Feliza Bursztyn", *El Espectador* (Bogotá: 2 agosto 1981), pág. 2-A.

[51] "¿Quién le teme a López Michelsen?" *El Espectador* (Bogotá: 4 octubre 1981), pág. 2-A.

[52] "¿Manos arriba?" *El Espectador* (Bogotá: 20 agosto 1983), pág. 2-A.

[53] "¿En qué país morimos?" *El Espectador* (Bogotá: 28 agosto 1983), pág. 2-A.

cuando comenta los actos de violencia cometidos por los pistoleros en el Magdalena Medio:

> Su método, por desgracia, es inmemorial en la historia de Colombia, y nos resulta familiar por su barbarie. Los cadáveres que flotan en las aguas o yacen sin dueño en las veredas, han sido despellejados a cuchillos, y aparecen con los órganos genitales cortados y a veces metidos en la boca, y sin lengua ni orejas. Son las mismas señas de identidad de aquella otra violencia que asoló al país desde 1948, y que causó una mortalidad calculada por la prensa de la época en 450 mil hombres, mujeres y niños en diez años. Que esta tragedia vuelva a salir a flote tan pronto como las condiciones sociales le son propicias, y que lo haga con las mismas formas de su salvajismo primitivo, es algo que hace pensar en quién sabe qué componentes enfermizos e irremediables de nuestra personalidad nacional.[54]

No obstante lo anterior, en los últimos (por ahora) escritos de García Márquez en *El Espectador* se percibe algo de esperanza por el proceso de paz respaldado por el nuevo presidente. El columnista habla favorablemente de la amnistía concedida a los alzados en armas y espera que reciba una respuesta adecuada de parte de grupos como M-19.[55] Cree que sólo Belisario Betancur, presidente popular que cuenta con mucho respaldo, puede forjar la conciencia nacional necesaria para acabar con la violencia en el Magdalena Medio.[56] Aún después de ver frustrados muchos de los esfuerzos realizados por La Comisión de Paz, las FARC y el M-19, el periodista mantiene viva su esperanza, la cual se renueva un poco con el apoyo popular expresado el día siete de diciembre de 1983 durante los dos minutos de un plebiscito a favor de la paz interna.[57]

---

[54] *Ibid.* Estas mismas ideas de García Márquez sobre el carácter permanente de la violencia en Colombia se encuentran en la columna "¿Manos arriba?" (20/VIII/83).

[55] "Bateman", *El Espectador* (Bogotá: 24 julio 1983), pág. 2-A.

[56] "¿En qué país morimos?" *El Espectador* (Bogotá: 28 agosto 1983), pág. 2-A

[57] "El embrollo de la paz", *El Espectador* (Bogotá: 11 diciembre 1983), pág. 2-A.

Como se ha visto en esta exposición, las diferencias entre el nuevo enfoque directo del tema de la violencia y el enfoque velado del período anterior son grandes. Las frecuentes advertencias y críticas formuladas abiertamente por el novelista de fama internacional en una época relativamente pacífica contrastan notablemente con las muy escasas y parcas insinuaciones del periodista provinciano hechas durante una época de exacerbada violencia. El enfoque humorístico-anecdótico del joven estilista que soñaba con alcanzar la gloria literaria ha sido desplazado por la seriedad del maestro que comprende el peso y el poder de sus palabras y que está dispuesto a utilizarlas para denunciar la violencia en todas sus formas.

¿AMOR? ¿TIEMPO? ¿COLERA?

Randolph D. Pope
Washington University in St. Louis

La lectura de la novela más reciente de García Márquez puede resultar frustante por las interrupciones y bruscos virajes que experimenta la línea narrativa. Las 64 páginas iniciales de la primera edición parecen establecer las bases para el desarrollo de un personaje principal en una novela de corte decimonónico, pues se concentran en el doctor Juvenal Urbino, afrancesado, propagandista de la higiene y vencedor del cólera, amante de la música y marido de la atractiva Fermina Daza. Pero su trivial caída al tratar de conseguir que su loro baje de un árbol ocasiona su muerte y la perplejidad de los lectores. (Aquí considero significativos mi propia primera experiencia de lectura y los comentarios escuchados y leídos que coinciden en subrayar la desilusión que produce esta novela: pero éste no es punto de arribo, desde el cual emitir un juicio, como el de Julio Ortega, quien afirma que *El amor en los tiempos del cólera* es un "fracaso lato" que "en sus propios términos no acaba de cumplir sus varias promesas" [972]. Por el contrario, propongo que estas irritantes frustaciones son una importante clave de la originalidad de esta obra). Una primera muerte, el suicidio de Jeremiah de Saint-Amour, nos pone en el carril de una crónica detectivesca que promete la revelación de un atroz pasado entrevisto por la reacción del doctor Urbino al leer al última carta del suicida. Pero se trata de un motivo ciego, que no tiene posterior desarrollo. Florentino Ariza, a quien podría llamarse personaje principal, surge por primera vez y a la avanzada edad de 76 años en la página 71. El hecho de que estos personajes, Juvenal Urbino, Fermina Daza y Florentino Ariza hayan pasado los setenta años promete, como ocurre, una narración en gran parte retrospectiva, pero la estructura temporal carece de realce, de espesor: entre un cólera y otro, entre una navegación y otra, la atmósfera es tan semejante que resulta difícil ubicar la época a la cual corresponde un episodio, si no es por datos como un Oscar Wilde vivo (por lo tanto antes de 1900), o la lectura de *La incógnita del hombre* de Alexis Carrel, publicada en inglés en 1935. El primer viaje fluvial de Florentino presagia el segundo, incluso al cruzarse con otro buque que lleva enarbolada la bandera de la peste (195). Se repiten idénticas las descripciones del calor de los pasajeros en el primer y el segundo viaje: ''La mayoría de los pasajeros, sobre todo los europeos, abandonaban el pudridero de los camarotes y se pasaban la noche caminando por las cubiertas, espantando toda clase de alimañas con la misma toalla con que se secaban el sudor incesante, y amanecían exhaustos e hinchados por las picaduras'' (194); ''La mayoría de los pasajeros, sobre todo los europeos, abandonaban el pudridero de los camarotes y se pasaban la noche caminando por las cubiertas, espantando toda clase de alimañas con la misma toalla con que se secaban el sudor incesante, y amanecían exhaustos e hinchados por las picaduras'' (459). No es la mano de Pierre Menard, sino el colapso del tiempo ocasionado por una historia estancada pero regresiva, ya que el río mismo se ha ido secando y los árboles y animales han sido arrasados. Y de la ciudad donde ocurre la acción de la novela, se nos dice que ''seguía siendo igual al margen del tiempo'' (28). Estos elementos, sin embargo, no colaboran a dotar de relieve a los diferentes períodos que atraviesa la historia de los amores de Florentino Ariza.

Para agravar las dificultades de la lectura, el final es feliz y digno de Hollywood: muchacho obtiene muchacha, luego de superar algunos obstáculos, ver la muerte de su rival y soportar muchos años de espera. Al cerrarse las 473 páginas hemos leído de otro suicidio, el de América Vicuña, amante adolescente del anciano Florentino Ariza. Numerosas páginas dedicadas a los escándalos que entretienen a la ciudad cargan de tensión la línea en que se anota escuetamente que América Vicuña ha descubierto las cartas intercambiadas entre Ariza y la viuda de Urbino (439), pues sabemos que es posible hacerlas públicas, pero no es hasta 18 páginas más tarde que se nos da la solución del conflicto con un telegrama que anuncia el suicidio de la muchacha por ''motivos inexplicables'' (457). Se trata de la técnica del folletín, pero, este género implacablemente persigue todas las pistas que entrelazan un episodio con otro, *El amor en los tiempos del cólera* propone y anticipa, pero luego disuelve, difumina y olvida. Es posible ver en esta estructura frustrante una imitación de la memoria porosa y reiterativa de muchos ancianos, en la misma forma que en *Under the Volcano* de Malcolm Lowry la incoherencia de las oraciones y lo borroso de la percepción transponen al nivel lingüístico el pasmo alcohólico.

Miremos más de cerca la muerte de Jeremiah de Saint-Amour, preguntándonos acerca de su función en una novela que se anuncia como un tratado de amor, *El Amor,* pero de un Ars Amandi caribensis. Su muerte se debe a su rechazo de la vejez, diagnosticado por *Juvenal* Urbino, como gerontofobia. He aquí un hombre que prefiere no seguir viviendo y gozando de su amante por temor a los achaques de la vejez. ¿No es acaso la imagen del amor tradicional, venerador de la juventud, dado al lamento y a la sacralización del objeto amado? Lo que el doctor descubre es que bajo la urbanidad de este misterioso y exótico personaje se ocultan los más bárbaros desafueros. En la superficie, no obstante, todo es encanto romántico. Jeremiah, en su profesión de fotógrafo, congela el tiempo, conservando sólo una imagen engañosa del ser. Reiteradamente se estudia en la novela la dificultad que los personajes experimentan en tomar conciencia, de que no es sólo el mundo alrededor de ellos el que envejece, sino que todo fluye en el mismo río, que ellos también han envejecido tanto como los otros, a pesar de que la mente insiste en conservar la imagen juvenil. Obviamente, si la filosofía de Jeremiah sobre la desolación y la falta de interés de la vejez se hubiera propagado a sus amigos, ni Juvenal Urbino ni Florentino Ariza protagonizarían la novela. Su rechazo de una vida en que el cuerpo decae, contrasta con la felicidad conseguida en la vejez por Florentino y Fermina. Jeremiah con su gerontofobia es el negativo de la gerontofilia que anima la novela.

La propuesta de que Jeremiah de Saint-Amour representa el engañoso amor romántico, se ve confirmada por una incómoda serie de observaciones inexactas del narrador que podrían llevarnos simplemente a afirmar que García Márquez sabe muy poco de ajedrez. Se afirma que en la casa de Jeremiah, el doctor Urbino descubre un tablero con ''una partida inconclusa'' (14). Como saben los que sí juegan ajedrez, las partidas que parecen inconclusas para muchos espectadores son sin embargo abandonadas por los maestros que saben que ya están decididas, y la gran mayoría de las partidas en los torneos de ajedrez nunca se acercan siquiera al jaque mate. Con sólo mirar un tablero, y menos todavía cuando se afirma, como se hace en la novela, que la posición de un jugador es muy superior a la del otro, no puede decirse que la partida esté inconclusa. Se trata obviamente de un símbolo de la vida inconclusa de Jeremiah, de su renuncia al tedioso pero importante final de la partida. Lástima que el autor no haya sabido más de ajedrez: el pobre doctor Urbino, de quien se dice que es un jugador empedernido, es obligado por el narrador a opinar que se trataba de "una partida maestra" (25), lo cual no podría haber concluido de manera alguna de sólo mirar la posición en el tablero sin conocer qué caminos habían recorrido las piezas en las jugadas anteriores. La misma ignorancia del ajedrez se revela cuando se afirma que el doctor Juvenal Urbino, al llegar a la vejez, debió comenzar a anotar las jugadas: "Su poder de concentración disminuía año tras año, hasta el punto de que debía anotar en un papel cada jugada de ajedrez para saber por dónde iba" (55). Cualquier ajedrecista sabe que los jugadores en un torneo siempre deben anotar las jugadas, lo que sirve para reconstruir y analizar una partida, pero de ninguna manera para "saber por dónde" va una partida, ya que esto no quedaría revelado por la mera enumeración de las jugadas previas. Pero además se asegura que Jeremiah de Saint-Amour, que alguna vez le habría ganado una partida a Capablanca, el legendario jugador cubano y en una época campeón del mundo, jugaba siempre con las piezas blancas. Más que una extravagancia, esto es un absurdo, ya que haría de Saint-Amour un jugador de tercera clase: el juego con las blancas es radicalmente distinto al de las negras y representa una ventaja. Pero esta extraña peculiaridad cobra sentido si se considera la importancia que el amor romántico concede a la virginidad y la pureza. La violencia con que trata de imponerse el simbolismo a una base en la realidad que no lo apoya revela hasta qué punto el suicidio de Saint-Amour es el preludio de un Ars Amandi que ve en el amor romántico una hipócrita adoración de la juventud y la pureza, valores ambos que esta novela intenta mostrar como falsos.

¿Dónde reside el Amor en esta serie interminable y proliferante de amores? La relación entre Fermina Daza y el doctor Urbino merece examinarse de cerca. En apariencia se trata de un matrimonio tranquilo, que difícilmente puede calificarse de feliz o infeliz en su totalidad y que merece acaso el adjetivo de cómodo o conveniente. Recordemos que al conocer al doctor Urbino, Fermina acaba de descubrir que su pasión adolescente y epistolar con Florentino no había sido más que una ilusión. En este vacío Juvenal intenta seducirla, "consciente de que no la amaba" (219), empleando el peso de su prestigio y dinero. Al regreso de un paseo, el médico insiste en que desea una respuesta:

> Fermina le dio la mano, pero cuando trató de retirar la mano con el guante de raso, el doctor Urbino le apretó con fuerza el dedo del corazón.
> —Estoy esperando su respuesta— le dijo.
> Fermina dio entonces un tirón más fuerte, y el guante vacío quedó colgando en la mano del médico, pero no esperó a recuperarlo. (188)

Esta imagen del guante vacío representa lo que va a poseer Juvenal Urbino, sólo lo exterior de Fermina Daza, al igual que Pedro Páramo posee sólo el cuerpo de Susana San Juan. Y sin embargo la ecuación no se plantea en términos sencillos; Fermina entrega su cuerpo a Juvenal, su espíritu a Florentino, ya que al final Florentino llega a ver con frescura un nuevo cuerpo, nuevo por ser viejo. La dificultad en el pensamiento tanto de Juvenal como de Florentino es la resistencia quc oponen sus memorias a vivir en el presente. Cuando las revelaciones sobre el pasado de Saint-Amour agrietan el aprecio que sentía Urbino por su compañero de ajedrez, Fermina no consigue comprenderlo: "Ella suponía que su esposo no apreciaba a Jeremiah de Saint-Amour por lo que había sido antes, sino por lo que empezó a ser desde que llegó sin más prendas encima que su mochila de exiliado, y no podía entender por qué lo consternaba de aquel modo la revelación tardía de su identidad" (49-50). Fermina deberá convencer a Florentino que su amor de veteranos debe basarse en el presente y no en las memorias compartidas que sólo servirían en contraste para hacerles ver las limitaciones del presente. Asumir el instante, no sólo de la juventud, sino todo instante, es la filosofía del Ars Amandi caribensis. La lección se machaca con el episodio que al comienzo señalábamos como aparentemente gratuito: el suicidio de América Vicuña, pues ¿qué es esta estudiante de maestra sino un doble de Fermina Daza adolescente enseñando a leer a su tía? Florentino llega simultáneamente a tener a su alcance la muchacha del pasado y la anciana que ha llegado a ser, y opta por la segunda. El Amor se da en un tiempo plural y no es posible fundirlo en una experiencia que englobe toda la vida, a pesar de las últimas palabras de la novela.

El guante reaparece en una anécdota que se presenta como intrascendente, la típica historia del latinoamericano en Europa contemplando con admiración los escritores ilustres que se leyeron antes como dioses distantes del firmamento de la cultura. En su primer viaje a París Juvenal Urbino había visto a Victor Hugo saliendo del senado "con una mujer joven que lo llevaba del brazo. Lo vio muy viejo, moviéndose a duras penas, con la barba y el cabello menos radiantes que en sus retratos, y dentro de un abrigo que parecía de alguien más corpulento" (233). La imagen del gran escritor romántico debilitado por la vejez es lógica en una novela que precisamente confronta el ideal romántico juvenil con las imágenes estereotipadas de la vejez. Más inquietante es la inmediata reduplicación de la anécdota con otro personaje y la reaparición del guante fatídico:

> Juvenal y Fermina llevaban el recuerdo compartido de una tarde de nieves en que los intrigó un grupo que desafiaba la tormenta frente a una pequeña librería del bulevar de los Capuchinos, y era que Oscar Wilde estaba dentro. Cuando por fin salió, elegante de veras, pero tal vez demasiado consciente de serlo, el grupo lo rodeó para pedirle firmas en sus libros. El doctor Urbino se había detenido sólo para verlo, pero su impulsiva esposa quiso atravesar el bulevar para que le firmara lo único que le pareció apropiado a falta de un libro: su hermoso guante de gacela, largo, liso, suave, y del mismo color de su piel de recién casada. Estaba segura de que un hombre tan refinado iba a apreciar aquel gesto. Pero el marido se opuso con firmeza, y cuando ella trató de hacerlo a pesar de sus razones, él no se sintió capaz de sobrevivir a la vergüenza.
>
> —Si tú atraviesas esa calle —le dijo—, cuando regreses aquí me encontrarás muerto. (224)

Fermina, como Talita en Buenos Aires sobre el tablón que la separa de Oliveira y de Traveler, opta por quedarse con su marido. Pero el desafío es grave y merece examinarse con atención. La tarde de nieves intensifica la bruma de la memoria, pero expresa también posiblemente el fondo de frialdad sobre el que se asienta el matrimonio Urbino. Wilde representa la exaltación del deseo, de la sensualidad, el auténtico refinamiento con el que Fermina sólo puede soñar, impulsiva pero refrenada por el convencionalismo de su marido. Lo salvaje *(Wilde)* se encuentra para esta pareja en Europa, en el París lluvioso en que gozan de los mejores tiempos de su matrimonio, mientras que en América les espera la asfixia doméstica de lo convencional. ¿Qué piensa Juvenal que Oscar Wilde verá en la superficie de este guante de gacela largo, liso, suave y del mismo color que la piel de la recién casada? ¿Acaso la impotencia del marido en poseer totalmente a su mujer, dispuesta a entregar su piel a la firma de la pluma de otro, elegante de veras? El amor se da a gotas en los diversos tiempos de esta novela, restando siempre algo, conservando su imperio con una promesa de totalidad que no llega.

Pero es posible que haya otra razón para este encuentro en una tarde de nieves, con Wilde y no con otro escritor europeo. Si recordamos el encuentro de Juvenal con Víctor Hugo, inmediatamente anterior en el texto, se puede destacar lo siguiente: "con la barba y el cabello menos radiantes que en sus retratos" (223). La única novela de Oscar Wilde, famosa en el mundo latinoamericano, es *The Picture of Dorian Gray,* en la cual envejece el retrato mientras que Dorian Gray conserva su juventud, en un texto que frecuentemente es una exaltación del valor de la belleza y la juventud. Escuchemos las palabras de Lord Henry, que con su cinismo decadente revela a Dorian Gray la fugacidad de sus encantos:

> You have only a few years in which to live really, perfectly and fully. When your youth goes, your beauty will go with it, and then you will suddenly discover that there are no triumphs left for you, or have to content yourself with those mean triumphs that the memory of the past will make more bitter than defeats. Every month as it wanes brings you nearer to something dreadful. Time is jealous of you,

> and wars against your lilies and your roses. You will become sallow, and hollow-cheeked, and dull-eyed. You will suffer horribly. (46)

Esta tradición del carpe diem se ve intensificada por el espíritu de la modernidad que acelera el curso de la historia y entroniza el progreso. En *El amor en los tiempos del cólera,* el hijo del doctor Urbino "pensaba que el mundo iría más rápido sin el estorbo de los ancianos" (425), pero están tan lejos de sentir que esta ley se aplicaría a él o alguien conocido algún día que espera que Florentino Ariza aplauda su programa de eutanasia. Por el contrario, a Dorian Gray le es permitido ver los estragos del tiempo objetivamente en la pintura que lo representa y reacciona con el mismo horror de Jeremiah de Saint-Amour: "Youth is the only thing worth, having. When I am growing old, I shall kill myself" (54). Wilde no es sólo el padre de Dorian Gray e indirectamente de Saint-Amour, sino además el representante por antonomasia del arte por el arte, del desprecio por lo rutinario, lo cotidiano, lo popular. García Márquez se encuentra en la otra acera del bulevar, recortando las alas del loro francés, del idealismo, de la epistolografía incendiaria, de los sagrados monstruos europeos. En su acera se celebra la vejez, las palabras sencillas, las canciones populares, la vitalidad sexual de las viudas y los solitarios, lo cotidiano.

Acaso haya en esto una clave para comprender la frecuente comparación entre los síntomas del amor y los del cólera, la insistencia en lo físico, antiheroico y hasta vulgar del amor en la gran variedad de sus manifestaciones. El amor como una peste que arrasa con la dignidad de los individuos, que mina la fuerza del cuerpo, que consume. Pero es posible que el juego refinado de García Márquez no acabe aquí, ya que también se utiliza varias veces la palabra "cólera" en otros contextos, como ira. Cuando Fermina Daza pierde a su marido, arrebatado por la muerte, "su dolor se descompuso en una cólera ciega contra el mundo" (70). Fermina es separada de Florentino por "la cólera" (117) del padre, Lorenzo Daza. Ambos casos son de gran importancia para el desarrollo de la novela, pues estas separaciones hacen posible la trama. En ambos casos una persona amada es arrebatada por la cólera que se interpone. Es difícil que no surja el eco de otra cólera famosa, también relacionada con una peste y la pérdida de una doncella, la cólera de Aquiles con sus funestas pero gloriosas consecuencias en ese juego en que argivos y aqueos, dioses y mortales, entrechocaban armas e intercambiaban discursos ante los ojos ciegos del rapsoda. Pues Aquiles, con su cólera, ocasiona la muerte de su amigo Patroclo y apresura su propia muerte. Aquiles: a quien se la había ofrecido una alternativa, vivir una vida larga y tranquila, o una breve y gloriosa, y había escogido la gloria épica de la muerte joven. Acaso no sea más que un casual, pero oportuno juego de palabras que Aquiles muera a manos de París, en la misma forma que es en París que mueren Víctor Hugo y Wilde, el París que conserva todavía el aura romántica, el París de donde viene el hombre de Jeremiah de Saint-Amour. En cambio, García Márquez, con su Ars Amandi caribensis, con su Libro de Buen Amor tropical en que Fermina hereda los encantos de la viuda Endrina del Arcipreste, navega el Magdalena con la bandera de la peste enarbolada, celebrando la plenitud de la vida en todos sus aspectos, juventud y vejez, proliferando barrocamente sus anécdotas en pura celebración de la creatividad y el juego, encontrando en lo inmediato, lo diario, el cuerpo vencido, en las vidas arruinadas por el cólera o la cólera de los poderosos, la fuerza siempre renovada del Amor.

OBRAS CITADAS

García Márquez. *El amor de los tiempos del cólera.* Bogotá: La Oveja Negra, 1985.

Ortega, Julio. "García Márquez y Vargas Llosa, imitados". *Revista iberoamericana* 52, Núm. 137 (1986): 971-978.

Wilde, Oscar. *The Picture of Dorian Gray.* Uniform Edition. London: A. R. Keller, 1907.

MUJER Y VIOLENCIA SOCIAL EN *CIEN AÑOS DE SOLEDAD*

Juan Manuel Marcos
Oklahoma State University

Entre los personajes femeninos de *Cien años de soledad,* Pilar Ternera constituye una especie de réplica esperpéntica de Ursula. La supera en longevidad, pues ya cuando cumple ciento cuarenta y cinco años deja de llevar la cuenta de su edad (427); es, ademas, el único personaje que abarca diecinueve capítulos de la novela: se la nombra por primera vez en el segundo (81-84), y muere en el último (431).[1] Pilar, a diferencia de su gallarda homónima en *Por quién doblan las campanas* de Hemingway, carece de ideales. Empieza prestando servicios domésticos en la casa de los Buendía (81), donde seduce al joven José Arcadio mostrándole su admiración ante el tamaño inusual de su pene (82-84). Esta devoción por los rasgos físicos masculinos la empuja a pelearse con otra, quien había comentado que su hijo Arcadio tenía nalgas de mujer (117). Más tarde, Pilar se dedica a los negocios de alcahuetería. Promete al primer Aureliano "servirle en bandeja" a la impúber Remedios Moscote (122). Después de engendrar a Arcadio con José Arcadio, engendra a Aureliano José con el hermano de aquél, lo que se lo comunica a Aureliano de esta manera: "Donde pones el ojo pones el plomo" (130). Por fin, regentea un prostíbulo en el que pasa su hiperbólica vejez, hasta morir y ser sepultada "entre salmos y avalorios de putas" (431).

Pilar no es la única madama que desfila por las páginas de *Cien años de soledad.* Ya en el tercer capítulo se menciona de paso

[1] Gabriel García Márquez, *Cien años de soledad* (Madrid: Espasa-Calpe, 1983). Todas las referencias al texto de la novela corresponden a esta edición. En realidad, se puede decir que Pilar está presente en todos los capítulos, ya que aun en el primero forma parte anónimamente "del éxodo que culminó con la fundación de Macondo" (84).

a “la abuela desalmada” de otro relato de García Márquez (106-107). Tampoco es Pilar la única criatura novelesca que le permite a García Márquez hacer uso de su imaginación rabelesiana: Camila Sagastume, una profesora de canto que rivaliza con Aureliano Segundo en un repugnante duelo de comer hasta hartarse, es descripta como “hembra totémica” (297). Nigromanta, “una negra negra, de huesos sólidos, caderas de yegua y tetas de melones vivos”, que seduce en su cuarto a Aureliano Babilonia, es descripta como “perra brava” (418-419). Está claro que las hipérboles de García Márquez están lejos de enaltecer la condición femenina de estos personajes. Todos los personajes de esta índole parecen subrayar la idea de la mujer como sierva natural de los apetitos varoniles.

Rebeca Ulloa (96), Amaranta Buendía y Fernanda del Carpio también pertenecen a este grupo, aunque de una forma peculiar. Las tres tienen en común un orgullo invencible, pero no de ser mujeres, sino de ocupar un lugar preeminente en la sociedad de Macondo, siguiendo el ejemplo de Ursula. La vida, sin embargo, es menos generosa con ellas, quienes responden a esta circunstancia alejándose del mundo mediante una misantropía. Después de pasarse la vida dedicada a tareas no más intelectuales que el bordado (181), Rebeca se encierra en su casa hasta su muerte tras el suicidio de su marido, el segundo José Arcadio (183). Desde los tiempos en que se encerraba en el baño para desahogar sus pasiones (112) hasta que muere virgen (321), Amaranta simboliza un mundo de clausura y pretendida autosuficiencia, a espaldas de la realidad mundana. También Fernanda presenta rasgos patológicamente autorrepresivos, como el calendario “con llavecitas doradas” en el que su confesor había marcado los días de abstinencia sexual (253). El cinismo de Fernanda se pone de manifiesto en su tolerancia de la relación extramarital que su marido, Aureliano Segundo, establece con Petra Cotes (254), así como en la rencorosa avaricia con que se lamenta por las sábanas que se ha llevado al cielo Remedios, la bella (292). Impelida por atávicos prejuicios sociales, Fernanda echa de la casa a Mauricio Babilonia, un modesto aprendiz de mecánico, porque no le concede el derecho de ver a Meme ni a andar “entre la gente decente” (324); en efecto, ella se considera “ahijada del duque de Alba” y “una fijodalga de sangre” que tiene derecho a firmar con “once apellidos peninsulares" (359).

A pesar de tanta soberbia, Fernanda termina en realidad mantenida por Petra Cotes (392), una mulata viuda, dueña de un negocio de rifas, que años atrás había compartido su cama con los hermanos José Arcadio Segundo y Aureliano Segundo (234), y luego se había convertido en una esposa paralela de éste, infundiéndole "el placer de la parranda y el despilfarro" (248). Petra es un personaje que combina elementos de Ursula, por su providencialismo económico, y de Pilar, por su erotismo proteico.

El último grupo dentro de esta serie lo constituyen Remedios la bella, cuñada de Fernanda, y la boticaria Mercedes, a quien algunos críticos han interpretado como una transfiguración novelesca de la esposa de García Márquez en la vida real.[2] Ninguna se entrega al desenfreno de Pilar y Petra, ni asume el autoritarismo de Ursula o Fernanda. Cada una a su manera, sin embargo, refleja valores patriarcales. Remedios continúa el ejemplo de misantropía heredado de su tía abuela Amaranta, y aunque no es fea como ella, se encierra en sí misma y se niega a las más elementales vías de comunicación, como por lo menos aprender a leer (243); curiosamente, el narrador nos la presenta como un modelo de lucidez, estancada "en una adolescencia magnífica" (273). Como su tía abuela, muere virgen, pero ademas, reforzando su supuesta imagen mariana, asciende al cielo en cuerpo y alma (279-280). Su simbología, sin embargo, está lejos de reflejar sentimientos cristianos, ni de ninguna otra clase de tradición religiosa basada en la solidaridad y el amor al prójimo, ya que nunca cesa de ejercer un olímpico desdén por los mortales que la rodean. En cuanto a Mercedes, García Márquez le dedica dos veces en sus cuatro únicas menciones el mismo adjetivo de "sigilosa" (406) que dedica a la abnegada Sofía (392). Mercedes es la última farmacéutica que queda en Macondo, "la sigilosa novia de Gabriel" (435).[3] En el ambiente de devastación del último capítulo, la jo-

---

[2] Véase el estudio introductorio de Joaquín Marco, "García Márquez y sus *Cien años de soledad*", en la misma edición citada en n. 1.

[3] La palabra "sigilo", del latín *sigillum* (sello, marca), significa etimológicamente un elemento para grabar en el papel, y también significa secreto. Quizá el uso de esta palabra por parte de García Márquez aluda a la abnegación (comparable a la de Sofía) con que su esposa Mercedes lo ha acompañado en los años duros hasta convertirse en un recurso imprescindible de su trabajo como escritor,

ven boticaria es la única dueña de los *remedios* de Macondo, de cuya escena ya han desaparecido las demás Remedios: Remedios Moscote, Remedios (la bella) Buendía, y Renata Remedios (Meme) Buendía. Parece simbolizar la inocencia de la primera Remedios, la belleza de la segunda, y el romanticismo de la tercera. Presagiando el fin de Macondo, Aureliano Babilonia acude a la botica por última vez, pero ésta se ha transformado en una carpintería (444): la tragedia de Macondo es *irremediable.* En el sistema retórico de García Márquez, estas coincidencias son más que un mero juego de palabras. Anuncian, desde el espacio real del autor, los presagios míticos de Melquíades, que es a su vez el autor de los pergaminos. Ambas profecías convergen en identificar a García Márquez y sus más profundos estatutos ideológicos con los del narrador del texto. Aunque el breve personaje de Mercedes es sin duda hermoso y positivo, por su simbología interna dentro de la novela, contribuye a reforzar el sentido patriarcal de los valores del Gabriel de la vida real, al identificarlo con el narrador ficcionalizado.

La guajira Visitación no es la única que asume el papel de sierva doméstica en la casa de los Buendía. Ya hemos visto que Santa Sofía de la Piedad, "la condescendiente, la que nunca contrarió ni a sus propios hijos" (221), también lo asume por largos años. Ursula establece con ella la misma relación hegeliana que con Visitación. Sólo a la muerte de Ursula, Sofía hace un atadito de ropa y se marcha para siempre de la casa (394). Argénida, la criada de Rebeca (183), también mantiene esta relación de servidumbre con su ama.

Además de estos ejemplos, y del servilismo implícito de varios de los personajes estudiados en el apartado anterior, hay todavía dos que estremecen al lector con especial intensidad, por tratarse de niñas completamente a merced de circunstancias brutales: Remedios Moscote, de nueve años (112), a quien el futuro

---

y también al sentido de privacidad con que explícitamente ha querido proteger su larga y estable vida conyugal (cf. la entrevista con Plinio Apuleyo Mendoza, *El olor de la guayaba* [Barcelona: Editorial Bruguera, 1981], p. 163). En la página 438, sin embargo, García Márquez usa el adjetivo "silenciosa", que más bien puede referirse a los mensajes mudos de sus cartas, no a su indiferencia. Leída etimológicamente, y no en su sentido habitual de silencio u ocultación, la adjetivación adquiere sin duda el carácter de un tierno y merecido homenaje.

coronel Buendía corteja con insólita lascivia, y cuyo matrimonio es arreglado por sus padres sin que ella llegue siquiera a la pubertad. Remedios muere más tarde, a causa de su embarazo de dos gemelos (139). La otra es la Eréndira de otro relato, una mulata adolescente a quien su abuela lleva de pueblo en pueblo, acostándola por veinte centavos con un promedio de setenta hombres por noche (106-108). Este dato económico, por otro lado, nos da la pauta del promedio de clientes que debían soportar las demás prostitutas de la tienda de Catarino, de las que sabemos que ganaban unos ocho pesos por noche (143): para ganarlos, debían estar con cuarenta por lo menos, aunque como la mulata era más joven, probablemente ellas cobraran menos y debieran estar con más.

Este estado de abyección no merece del narrador la menor compasión. Y aunque no se trata de pedir moralejas, llama la atención su impavidez fatalista ante circunstancias sociales que obedecen sin duda a unas estructuras de atraso e injusticia de raíces históricas muy claras. ¿Es esta clase de "orden" el que García Márquez recomienda a las mujeres latinoamericanas?

EL ARQUETIPO FEMENINO EN *CIEN AÑOS DE SOLEDAD*

Gloria Bautista
Colgate University

Northrop Frye ha establecido el uso definitivo del arquetipo como medio para la interpretación literaria.[1] La meta de la crítica arquetípica es el análisis de los símbolos para así ayudar a integrar la unidad de la obra y su significado. "La literatura, vista desde el punto de vista arquetípico, nos muestra su forma y experiencia total como parte del continuum de la vida... El análisis arquetípico trata una obra desde el punto de vista genérico, recurrente o convencional... a través del cual la experiencia y el deseo son expresados".[2] El enfoque arquetípico afirma que hay ciertas situaciones y comportamientos básicos que se repiten constantemente y que aparecen en la literatura iterativamente a través de los siglos.[3]

Los arquetipos son símbolos comunicables en una civilización, y se definen como modelos, patrones, o paradigmas sobre los cuales una cultura basa sus conceptos e ideas. En literatura el arquetipo es la imagen o símbolo recurrente en una obra. Frye sugiere que "hay arquetipos universales y por lo tanto tienen un poder de comunicación potencialmente ilimitado".[4] La familia, como unidad social básica, contiene varios arquetipos universales. *Cien años de soledad,* siendo una saga de familia, contiene varios arquetipos pero discutiré sólo cuatro de ellos: la madre, la amante, la esposa y la solterona.

---

[1] Northrop Frye, *Anatomy of Criticism* (Princeton: Princeton University Press), 1957.

[2] Ibid., Frye, p. 115. La traducción es mía.

[3] Suen Armens, *Archetypes of the Family in Literature* (Seattle: University of Washington Press, 1966), p. VIII.

[4] Op. cit., Frye, p. 99.

El arquetipo dc la madre ha existido desde los comienzos de la humanidad y se encuentra a través de toda la literatura. Este arquetipo incluye cualidades como compasión, intuición y amor absoluto. "Al mundo masculino, desgarrado por la ambición, crueldad, avaricia y odio, lo armonizan las cualidades femeninas de paz, ternura, protección y compasión".[5] El símbolo de madre es el símbolo de la creación, del comienzo, de la existencia misma. Antes de la formación de religiones, el Dios del hombre primitivo era la subsistencia, la riqueza. De todas las cualidades femeninas, la maternidad es la más sobresaliente. Como ha escrito Helene Deutsch, "la reproducción es la victoria sobre la muerte... y es la mujer quien tiene la oportunidad de experimentarlo directamente".[6]

En *Cien años de soledad,* Ursula Iguarán encarna el arquetipo de la madre (aunque hay otras madres también). A Ursula se le ha descrito como "la única fuerza positiva en la novela",[7] "la raíz y brújula de la familia",[8] "el personaje más lúcido"[9] y "el eje sobre el cual gira la novela".[10] Es también "el verdadero apoyo, la columna vertebral de la familia la activa, incansable, magnífica Ursula Iguarán, quien gobierna con mano firme esta casa de locos".[11] Ursula es el corazón de la familia. Ella toma su papel de madre muy en serio y hasta trata de educar a un Buendía para que llegue a ser Papa. Ella cree que la mujer es el cimiento de la familia y sin ella los hombres se destruirían. Su vida abarca casi toda la novela, desde antes de la fundación de Macondo, hasta el diluvio que marca el comienzo del fin. Casada con su primo

---

[5] Esme Wynne Tyson, "Return of the Goddess", *Woman, Maitreya* 4 (Berkeley, California: Shambhala Publications, 1973), p. 9. Traducción mía.

[6] Helene Deutsch, *The Psychology of Women,* Vol. II. (New York: Bantam Books, 1973), p. 1. Traducción mía.

[7] Jane Jaquette, "Literary Archetypes and Female Role Alternatives: The Woman and the Novel in Latin America", *Female and Male in Latin America: Essays.* Ed. Ann Pescatello. (Pittsburgh: University of Pittsburgh Press, 1973), p. 18. Traducción mía.

[8] Mario Vargas Llosa, *García Márquez: historia de un deicidio.* (Barcelona: Seix Barral, 1971), p. 494.

[9] Carmen Arnau, *El mundo mítico de Gabriel García Márquez* (Barcelona: Ediciones Peninsulares, 1971), p. 16.

[10] Helena Araújo, "Las Macondianas" *Eco* 125 (Bogotá, 1970), pp. 503-513.

[11] Vargas Llosa, p. 524.

José Arcadio Buendía, le aterroriza la idea de tener un hijo con cola de cerdo. Para impedirlo, no permite consumar su matrimonio hasta cuando José Arcadio, para salvar su honor, mata a un hombre que cuestiona su masculinidad. La pareja, atormentada por el fantasma del muerto, se interna selva adentro, donde Ursula tiene su primer hijo y, al cabo de dos años, encuentran el sitio donde fundan a Macondo. Ursula trabaja hombro a hombro en la construcción del pueblo y también atiende a sus responsabilidades de madre, ya que le nacen dos hijos más. El paraíso macondiano empieza a transformarse con la llegada de los gitanos que traen consigo innumerables inventos que embrujan a José Arcadio Buendía que, finalmente termina loco. Ursula mantiene, a través de su larga vida, un claro sentido común. Según ella, para vivir bien uno debe trabajar duro, mantener la casa limpia, no hacer picardías e ir a la iglesia con regularidad. Sus ideas son las de una mujer tradicional pionera. Posee gran fortaleza espiritual y física aunque "nunca se le oyó cantar". Es una mujer verdaderamente práctica, prudente y estoica. Ursula tiene absoluto control sobre sus hijos, especialmente en lo que se trata de acciones inhumanas, como el planeado fusilamiento del coronel Gerineldo Márquez por el coronel Aureliano Buendía. Ursula amenaza a matar a su hijo con sus propias manos si se atreve a fusilar al coronel Márquez.

A pesar de su firmeza, Ursula considera su función de madre como la más importante. Ella sabe perdonar, compadecer y comprender a sus hijos. A pesar de que ella da mucho amor, Ursula nunca lo recibe, pues sus hijos están interesados en sus vidas, en sus mujeres, en sus aventuras. Su espíritu de sacrificio la lleva al olvido de la gente y cuando muere, un jueves santo, su cuerpo diminuto cabe en una cajita que es acompañada al cementerio por muy poca gente.

La otra cara del arquetipo de la madre es Pilar Ternera. Ella tiene nueve hijos, tres de ellos Buendías. Sin embargo, en este estudio examinaré a Pilar Ternera como la encarnación del arquetipo de la amante, porque en contraste con Ursula, que basa sus principios en las convenciones sociales y religiosas, Pilar Ternera es una mujer sin convenciones. Ella es libre, da y recibe por el sólo hecho de que el amor para ella es algo natural, sin barreras ni prescripciones. En casi todas las sociedades es aceptable que el hombre fornique, pero no la mujer. Estas normas dividen a la mujer en dos grupos: las esposas y madres respetadas y aceptadas por la sociedad, y las rameras, despreciadas y consideradas indignas en la esfera aceptada, mientras que la mujer del mundo valora su autodeterminación y libertad.

Los arquetipos van condicionados por la cultura y el medio ambiente. En Macondo, el sexo, la lujuria, el egoísmo son los sustitutos por la falta de amor que es a su vez la causa de la soledad. Los hombres de Macondo se desahogan con las mujeres, pero son ellas quienes cargan con las responsabilidades emocionales, morales y espirituales. Pilar Ternera, como su nombre lo indica, es la columna que fortalece el aspecto emocional de los hombres de Macondo, pues a ella vienen en busca de consuelo y apoyo. Su apellido Ternera la vulgariza, como también lo hace su entregarse al placer indiscriminadamente. Este es el lado negativo del arquetipo de la amante.

La amante es repudiada por la sociedad, y por eso su función es percibida como diabólica y negativa; aunque ella puede ser generosa y buena con su amado, la libertad de que ella disfruta es temida, porque ella satisface los deseos lujuriosos del hombre; ella conoce los poderes eróticos con que controlarlo y esto la convierte en una amenaza para la sociedad. El dogma religioso contribuye aún más a fomentar el odio hacia la amante, sin examinar de cerca las razones que pueden llevar a una mujer a ese estado de marginación. Pilar Ternera es violada a los catorce años. Una vez perdida su virginidad pierde también su oportunidad para una vida decente. Ella se ve obligada a seguir siendo amante de su violador; a los 22 años se va a Macondo en busca de un futuro mejor, pero allá cae en los brazos de los Buendía y nunca logra liberarse de su posición como mujer de mala vida. Ella, sin embargo, es maternal y cariñosa, trabaja leyendo las barajas y así gana algo de dinero para sobrevivir, pues Pilar Ternera nunca le cobra dinero a los hombres por satisfacerlos. Ella es la diosa del amor y madre al mismo tiempo.

Pilar Ternera también es la "consejera" emocional de los Buendía. A ella acuden cuando tienen penas del corazón; ella los conoce muy bien, no sólo a través de la experiencia y de su historia sino también a través de las barajas. Ella es el arquetipo de la amante, porque Eros es su dios y así lo atestigua cuando dice que está feliz sabiendo que otros están felices haciendo el amor; arregla encuentros entre parejas, y hasta les presta su propia cama; ya anciana, crea un burdel pequeño donde muere.

El tercer arquetipo de este estudio es el de la esposa, el cual está en parte ligado al de la madre. El papel de la esposa en las sociedades tradicionales es el de dar hijos legítimos y de preservar los valores de esa sociedad. Esta es una antigua idea, expresada por Demóstenes en el siglo IV antes de Cristo: "Tenemos amantes para nuestra satisfacción, concubinas para que cuiden de nuestra persona y esposas para que nos den hijos legítimos".[12]

El papel de esposa varía más que el de madre o amante, según la cultura. Pero el ministerio de la esposa es en general el de la mujer que permanece en la casa para satisfacer las necesidades cotidianas del esposo y de los hijos. Fernanda del Carpio ejemplifica el arquetipo de esposa en *Cien años de soledad.* Esta bella y aristocrática joven fue educada para ser reina. Aureliano Segundo se enamora locamente y se casa con ella. La trae a vivir a Macondo en la casa de la familia Buendía. Fernanda, con sus remilgos, sus aires de grandeza y su pobreza de espíritu se hace odiar por todos. Tiene tres hijos, pero no es capaz de dar verdadero amor ni a ellos. Fernanda es el prototipo de la mujer latinoamericana en el sentido negativo de la palabra, que se cree aristocrática y superior a los demás y refuerza estas creencias con un sentido anticuado de lo que es apropiado y moral. Ella es una fanática que trata de convertir la casa de los Buendía en algo que acaba por parecer el convento en el que ella se educó, colgando cuadros del Sagrado Corazón y de la Virgen en sitios donde Ursula tenía sus decoraciones tradicionales. Fernanda no es buena esposa, ni madre, ni amiga. Su espíritu mezquino obliga a Aureliano Segundo a regresar donde su antigua amante Petra Cotes, y Fernanda tiene que sufrir la inmensa vergüenza de ser "mujer repartida". Fernanda representa la hipocresía de la aristocracia decadente, que vive en un mundo de fantasía y falsedad.

El cuarto y último arquetipo femenino en *Cien años de soledad* que retrato aquí es el de la solterona, la mujer que no se casa,

---

[12] Sarah Pomeroy, *Goddesses, Whores, Wives and Slaves: Women in Classical Antiquity* (New York: Schocken Books, 1975) p. 8. Traducción mía.

que no se realiza como madre, amante o esposa. Amaranta Buendía encarna este arquetipo; ella representa la mujer reprimida, demasiado egoísta para amar; la única pasión que siente es el oido. Ella prepara un plan de venganza contra Rebeca y pasa el resto de su vida llevándolo a cabo. La enmarañada telaraña de venganza que Amaranta diseña es simbolizada en el sudario que pasa años tejiendo, y que al terminarlo muere. Como una tarántula, ella atrae a los hombres, los enamora y luego los abandona a la desesperación. Amaranta es emocionalmente yerma; en su árido corazón sólo crece la maleza de sentimientos incestuosos, celos y rencor. Su pureza virginal es sólo física, porque su espíritu está pervertido.

Es posible unificar el calidoscópico arquetipo femenino en *Cien años de soledad* aplicando el dualismo universal de Newton. El sustento de la creación es la balanza entre dos opuestos: día: noche; hombre: mujer; bueno: malo. También, los arquetipos estudiados son esencialmente como los he descrito, pero el factor del dualismo hace qué algunas características se opongan entre sí. Por ejemplo, Ursula es a la vez madre y esposa y solterona. Amaranta es solterona y madre. También, cada personaje arquetípico tiene su lado negativo o positivo. Ursula, por ejemplo, esclaviza a la india Visitación; Pilar Ternera promueve la prostitución con negritas jóvenes, mientras que Amaranta crea "el correo de la muerte" como su último acto de generosidad. Y a Fernanda no hay que negarle su única salvación: su belleza física.

En los cuatro arquetipos femeninos en *Cien años de soledad* se observa otro aspecto que va más alla de los comúnmente formulados: las vertientes que integran el arquetipo total de la mujer latinoamericana van determinadas por los valores y estructuras patriarcales dentro de los cuales nace, crece y se reproduce la mujer. Las cualidades de las mujeres de *Cien años de soledad* no se escapan del patriarcalismo sino que lo machacan una vez más. Por eso los atributos de amor, generosidad y compasión los poseen Ursula y otros personajes como Santa Sofía de la Piedad y Petra Cotes. El papel de esposa, aunque legitimiza una relación, no garantiza que los esposos se amen, ni siquiera que se respeten, como le pasa a Fernanda, que por su egoísmo y fanatismo termina siendo tan usada como cualquier otra mujer de la calle. Socialmente Fernanda es aceptada por ser esposa, pero emocionalmente está vacía. La única esperanza de realización para la mujer, bajo los patrones patriarcales, es a través del hombre, y, por él, la maternidad. La mujer que no se casa, o que por lo menos no se hace madre, no tiene "una segunda oportunidad sobre la tierra".

Por eso, el arquetipo más negativo es el de la solterona, Amaranta. Ella se quema la mano para exteriorizar su acarbonado corazón, y cubre la quemadura con una venda negra que lleva hasta el final de su vida. Amaranta es también la personificación de la hipocresía. Enamora a los hombres para luego verlos desangrarse emocionalmente; promueve la lujuria en sus sobrinos sabiendo que la consumación de una de estas relaciones sería un acto cataclísmicamente incestuoso; Amaranta es la mujer "quemada" por el mito de la virginidad, que convierte a la mujer en un ser falso y manipulador. Su hipocresía culmina al momento de morir cuando lo único que quiere es que Ursula declare públicamente que "Amaranta moría virgen".

Los cuatro personajes discutidos se funden en la última mujer macondiana: Amaranta Ursula; ella es el epítome y hecatombe de *Cien años de soledad.* Estos arquetipos femeninos también se podrían tomar como cuatro aspectos de la multifacética mujer latinoamericana, que controlada por la sociedad, reprimida por la religión, dominada por el hombre, ha tenido la fortaleza espiritual para sobrevivir siglos de explotación y denigración. A medida que la mujer se educa y se libera, va emergiendo otro arquetipo de mujer latinoamericana, que ya está presente en la literatura de escritoras como Isabel Allende, Fanny Buitrago y Rosario Castellanos, entre otras. El total arquetipo femenino de la mujer latinoamericana está todavía en capullo, pero al paso que va, será la mariposa del siglo venidero.

LOS PERGAMINOS DE MELQUIADES Y EL TEXTO DE *CIEN AÑOS DE SOLEDAD*

William L. Siemens
Houghton College

En *Cien años de soledad,* Melquíades es castigado fuertemente por los dirigentes del mundo metafísico con el cual él mantiene contacto. La cuestión con que me propongo enfrentar es si este personaje misterioso es castigado por su apego a la llamada metafísica de la presencia.

El concepto de la metafísica de la presencia suele aplicarse únicamente a los textos occidentales, puesto que éstos son los únicos enraizados en la tradición helenística. La pregunta que surge es si el texto de Melquíades pertenece a esta clase, porque, dejando a un lado el patronímico griego al final de su nombre, sus raíces más profundas parecen ser orientales. El es unô de los gitanos que visitan Macondo de vez en cuando, y se cree que los gitanos originaron en la India (aunque "gitano" está derivada de "egipcio"); en efecto, el idioma oculto en que los manuscritos de Melquíades están escritos resulta ser el sánscrito. Además, cuando muere, su muerte tiene lugar en Macondo, pero también declara dos veces, "He muerto de fiebre en los médanos de Singapur",[1] lo que también lo liga con el Oriente.

Uno de los aspectos de la metafísica de la presencia contra la cual los deconstruccionistas protestan es su postulado de una forma de vida fuera del texto. Es decir que los griegos desarrollaron una filosofía en que las palabras designaban objetos materiales, los cuales a su vez eran considerados nada más que copias imperfectas de sus arquetipos en el reino de las Formas. Las filosofías de la India son bastante distintas en cuanto a esto. Para los hindúes, todo lo que *es* originó en la sílaba *om.* De ella emergieron las palabras de la lengua sánscrita, y de aquellas palabras

[1] *Cien años de soledad,* 9ª ed. (Buenos Aires: Sudamericana, 1968).

nació el mundo material. Todas las cosas materiales, sin embargo, participan en la *maya,* o sea la ilusión.

La diferencia yace en que, en el pensamiento helenístico, las palabras señalan hacia *atrás* a dos niveles de presencia, uno material y otro ideal. Para los hindúes, el fenómeno de unas tantas *cosas* ilusorias y materiales, existentes en el mundo, implica la existencia de otras tantas palabras que las subyacen. Detrás de dichas palabras aparece la sílaba primordial. En esto yo sospecho que hay una variante especial de la metafísica de la presencia: que las palabras, en vez de permanecer en el texto, como la única realidad, que hay, *proyectan* un mundo material fuera de ellas. No importa cuán ilusorio sea tal mundo.

En cuanto a los pergaminos de Melquíades, no hay prueba de que traten de *proyectar* fuera de sí al mundo de Macondo y la familia Buendía. Sin embargo, hay algunas indicaciones de que esto puede ser el caso. En primer lugar, están escritos en sánscrito, cuyas palabras se consideran la base de la creación material. Además, el mundo de Macondo es curioso en la manera en que sirve como paralelo de la naturaleza de los manuscritos. El narrador le informa al lector de que, en sus textos, Melquíades había concentrado todos los acontecimientos cotidianos de cien años de tal manera que existieran en un sólo instante (p. 349). Esto representa un chiste de parte del autor, por supuesto, porque todos los acontecimientos narrados en *cualquier* novela coexisten en sus páginas en un sólo instante. (El pasaje en cuestión prueba, a propósito, que la común idea crítica que los pergaminos de Melquíades y el texto de *Cien años de soledad* son idénticos es errónea. De ninguna manera representa éste "la historia de la familia... hasta en sus detalles más triviales" a través de los cien años).

Ese concepto del tiempo como instante tanto como extensión se refleja en la vida de la familia Buendía. Ursula teme que, si ella y José Arcadio entran en una unión vagamente incestuosa para producir un niño, tal niño nacerá con cola de cerdo. Ellos se rinden por fin a la tentación, pero no se cumple la maldición. Durante las siguientes décadas, ella dice varias veces, "Es como si el tiempo diera vueltas en redondo y hubiéramos vuelto al principio" (p. 169; de manera semejante en las pp. 192, 253, 285), por lo que ella quiere decir que cada nuevo varón de la estirpe nace con las características del hijo original de Ursula por quien es nombrado. Parece que, en esencia, todos expresan esas características tales como existieron en el primer José Arcadio. Esto es importante pórque, llegado el final de los cien años, un nuevo acto de incesto sí produce el hijo profetizado, con su cola de cerdo, y el final se une con el principio.

Es decir que, si los participantes en algún sentido son el primer José Arcadio y la Ursula original, luego su acto de coito es el mismo —no *igual* sino *el mismo*— y a fin de cuentas el castigo se ha aplicado al hecho designado. De esta manera, la historia de la familia puede verse principiando y terminando en ese breve episodio, o recorriendo cierto número de ciclos a través de cien años. Esto no es exactamente lo que Octavio Paz quiere indicar cuando propone "la muerte y la vida en un sólo instante de incandescencia", pero tal vez valga la pena recordarlo. Lo que quiero señalar es que el lector queda perfectamente libre a creer que la conclusión de la historia familiar tiene lugar en el mismo momento que su principio.

Lo que se debe notar en este momento es que el *texto,* y nada más que el texto, es el espacio donde todos los momentos coexisten en un sólo instante. Según Roland Barthes y Jacques Derrida, no hay nada fuera del texto, y mi tesis es que el verdadero acto de *hybris* de parte de Melquíades puede consistir en su esfuerzo por construir para sí un mundo más allá de los límites de sus pergaminos.

Fieles al concepto hindú de la *maya,* sus creaciones parecen experimentar cierta dificultad al tratar de mantener su contacto con el Ser. El ejemplo más obvio es el de Santa Sofía de la Piedad, quien, como el neutrino en la física moderna, puede ser descrita como "apenas presente pero supremamente necesari [a]"[2], en que sólo existe en el momento oportuno (p. 102). El coronel Aureliano, en contraste, vive una leyenda de ubicuidad, apareciendo súbitamente en varios lugares hasta que el pueblo lo cree capaz de la omnipresencia. Sin embargo, él está en todas partes solamente dentro del *texto* de su leyenda. Años después, él no percibe el duende de su padre, atado todavía al árbol cósmico en el patio de la casa, y uno de los descendientes del coronel no es visto en

---

[2] Robert P. Crease y Charles C. Mann, *The Second Creation* (Nueva York: Macmillan, 1986), p. 202. Traducción mía.

la habitación de Melquíades por un oficial militar venido a matarlo. Evidentemente, aquél es invisible a causa de estar tan involucrado con los pergaminos que apenas existe fuera de sus límites. En efecto, del último Aureliano se dice que está "encastillado en la realidad escrita" (p. 327). Con respecto al coronel mismo, unos pocos años después de su muerte ya existe la duda más grave de si existió alguna vez o no; el cura le comenta a su interlocutor, "A mí me bastaría con estar seguro de que tú y yo existimos en este momento" (p. 345).

Remedios, la bella, es otro personaje cuya presencia tangible se pone en cuestión, porque, como la Susana San Juan de Rulfo, no es un ser de este mundo (p. 172). Lo mismo se dice de ciertos otros aspectos del mundo presumiblemente sacado de los pergaminos de Melquíades. En el burdel, por ejemplo, "hasta las cosas tangibles eran irreales" (p. 328). En la misma página, Germán trata de prender fuego a la casa para probar que no existe.

Como ya se ha notado, hay alguna duda en cuanto al sitio de la muerte de Melquíades. Su muerte es presenciada en Macondo, aunque él declara que ha tenido lugar "en los médanos de Singapur", lo que implica que su presencia en Macondo (o en los dos lugares) puede representar una mera ilusión. El ha tenido mucho éxito durante un tiempo, pudiendo regresar de la muerte la primera vez. El narrador dice que Melquíades "había regresado porque no podía soportar la soledad" (p. 49). Al volver, como el héroe que trae desde el Hades un don para beneficio de su pueblo, él lleva consigo los manuscritos que contienen la vida de Macondo. Los coloca con los otros libros en su cuarto, alrededor del cual se dice que la vida espiritual de la casa revolvió durante un tiempo (p. 224).

Pero más tarde al lector se le informa que los poderes del mundo bajo —evidentemente los únicos activos en esta novela de la soledad— han privado a la familia de Melquíades de todos sus poderes sobrenaturales; en efecto, "la tribu de Melquíades... había sido borrada de la faz de la tierra por haber sobrepasado los límites del conocimiento humano" (p. 40). Melquíades mismo es elegido a ser castigado por su apego demasiado estrecho a la vida. En esto es semejante al Jeremiah de Saint-Amour de *El amor en los tiempos del cólera,* de quien se dice que "amaba la vida con una pasión sin sentido"[3] (aunque irónicamente, él acababa por suicidarse). De todos modos, vale mencionar que el Hades, que es como decir el poder del no ser, está en control, y el no ser es otro término para la negación de la *presencia,* hasta dentro de los límites del texto.

Esto conduce a la cuestión de la naturaleza de ese instante en que Melquíades ha concentrado la vida de la comunidad a la cual puede haber dado la vida. Floyd Merrell, en su *Deconstruction Reframed,* dedica bastante espacio a una visión del tiempo implícito en la teoría de la relatividad y la nueva cosmología: que si el tiempo debe ser visto como nada más que una serie de puntos infinitésimos, no cabe el fenómeno de un momento *presente,* y menos la *presencia* dentro de tal momento. En el mejor de los casos, nada se puede conocer directamente como alguna especie de presencia, pues hay que postular la mediación en la comunicación de todos los fenómenos a la conciencia. Dice Merrell, "Hay una 'diferencia' entre lo que *es* y la *conciencia* de que es, porque la conciencia *de* tal y cual inexorablemente se difiere".[4]

Sin embargo, Melquíades trata de conservar su propia existencia más allá de la muerte y fuera de los límites de sus propios manuscritos. El declara patentemente, "He alcanzado la inmortalidad" (p. 68). Metiéndose en algún proceso alquímico, le da a José Arcado instrucciones detalladas acerca de cómo éste debe quemar mercurio en el cuarto con el cadáver. Significativamente, lo único que pasa es que el *tiempo* se despista y, según el narrador deja una fracción eternizada en el cuarto (p. 296). En contraste, Melquíades es incapaz de participar en aquel instante sin movimiento, con el resultado de que su cadáver se corrompe y tiene que ser sepultado. No se da mejor ejemplo de lo que propone Merrell, que fuera del texto no hay dónde establecerse en el tiempo. Además, si el texto mismo tiene la propiedad de concentrar el tiempo en un instante, ningún fenómeno tal como el tiempo debe aparecer extendido allí tampoco.

---

[3] Gabriel García Márquez, *El amor en los tiempos del cólera* (Bogotá: Editorial La Oveja Negra, 1985), p. 26.

[4] Floyd Merrell, *Deconstruction Reframed,* (W. Lafayette, IN: Purdue Univ. Press, 1985), p. 5. Traducción mía.

Es curioso que los pergaminos que parecen haberle prestado alguna forma tenue de vida a Macondo y a la familia Buendía se destruyan con el mundo aparentemente proyectado desde ellos, en el viento apocalíptico, lleno de susurros del pasado. Si, como en las doctrinas de la India, el universo no es más que el resultado del sonido, es justo que termine también en un viento compuesto de sonidos. Si el manuscrito ha llegado a su final, primeramente siendo descifrado por completo y después pereciendo con la casa, no hay más Ser disponible para el mundo que existe dentro de él.

Habiendo envejecido junto con Macondo, Pilar Ternera sabe desde hace mucho que "la historia de la familia era un engranaje de repeticiones irreparables, una rueda giratoria que hubiera seguido dando vueltas hasta la eternidad, de no haber sido por el desgaste progresivo e irremediable del eje" (p. 334). ¿Qué eje? Ya me he referido al hecho de que, a través de la mayor parte de la historia familiar, el cuarto de Melquíades ha servido de centro espiritual para la familia. La clave de ese cuarto, sin embargo, es la existencia dentro de él de Melquíades y sus pergaminos. Ciertamente éstos son el "eje" en cuestión. Cuando la historia prescrita de los cien años contenidos en ellos ha llegado a su conclusión, y eso en el momento preciso cuando se han descifrado por fin, no existe ninguna posibilidad de seguir.

Lo que quiero enfatizar es que la vida contenida solamente en un texto sigue allí siempre. Sólo cuando una palabra es *proyectada de* tal texto, para vivir su vida de cien años, no queda nada al final.

La familia Buendía es destruida como castigo de su supuesta perversión del acto por el cual la vida se genera. Macondo es destruido por la soledad a la cual se ha condenado, presumiblemente por los mismos manuscritos en que se le dio vida al principio. Luego los manuscritos mismos son destruidos, quizás por el intento de su autor de proyectar una forma de vida fuera del texto.

En contraste, el texto de *Cien años de soledad* contiene un narrador anónimo y omnisciente. En efecto, el texto de la novela es notable por lo que se denomina o la muerte del autor o la desaparición del sujeto. La obra da la impresión de haberse generado a sí misma, como si el texto mismo estuviera hablando en vez de algún creador responsable de su generación. Roland Barthes introdujo el concepto de "la gran escritura mítica", que aportaría precisamente tal impresión de auto-generación, semejante al concepto del tradicional pensamiento hebraico, en el cual el Torah preexiste la creación material, algo así como el universo visible que se deriva de la sílaba *om* en el pensamiento hindú. Lo incierto es si hasta el *autor* debe ser visto como un ser existente fuera de los límites del texto, y mucho menos como algún significado aludido por su cadena de significantes. Octavio Paz ha descrito el poema como un objeto creado por una técnica que muere en el momento de la creación. La muerte del autor con su técnica le presta al texto la vida contenida solamente dentro de él.

En un sentido, entonces, el proyecto de Melquíades es condenado al fracaso por el mismo texto de *Cien años de soledad.* Atrapado dentro de éste, Melquíades, el texto que ha escrito, y el mundo proyectado de tal texto están destinados a morir sin lograr lo que más desean, que es alguna forma de *presencia* permanente.

Paradójicamente, hay vida para todos dentro de los límites del texto de *Cien años de soledad.* Al existir éste —aun si fuera de manera inmediata— dentro de aquel instante infinitésimo, la historia de un hombre condenado por su excesivo apego a la vida será recordada, junto con la *hybris* según la cual él intenta perpetuamente darle vida a un cosmos fuera del texto.

LA OTRA RAYA DEL TIGRE DE PEDRO GOMEZ VALDERRAMA: DISCURSO REESTRUCTURATIVO DE LA HISTORIA DE LA RAZA SANTANDEREANA

Yolanda Forero Villegas
Ohio State University

La otra raya del tigre, novela del escritor Pedro Gómez Valderrama publicada en 1977, se ocupa de narrar parte de la historia de un pueblo del noroeste colombiano, Santander. Para esta narración, el autor toma como figura central al inmigrante alemán Geo von Lengerke, empresario alemán que arribara a tierras santandereanas a mediados del siglo XIX, y que debido a sus acciones progresistas y un tanto estrafalarias, se convirtiera en personaje de leyenda.

La llegada de Lengerke, sus empresas mercantiles, y la construcción de caminos en el Estado Soberano de Santander, constituyen el eje narrativo del relato. *La otra raya del tigre* puede considerarse como novela histórica: los hechos referidos y los personajes presentados pertenecen a la historia del pueblo santandereano; para comprobarlo, bástenos cotejar la información contenida en la novela, con las fuentes que el propio escritor menciona en su obra como el libro de Horacio Rodríguez Plata, *La inmigración alemana al Estado Soberano de Santander,* o los recuerdos del abuelo de Gómez Valderrama que aún se conservan después de cuatro generaciones.[1]

La otra raya del tigre refiere una parte de la historia de la *raza* santandereana, reestructurando los acontecimientos, y como lo señala Fernando Ayala Poveda, convirtiéndolos en una "cróni-

[1] Gómez Valderrama señala en su novela las fuentes bibliográficas y las personas que le ayudaron a reconstruir la vida de Lengerke. Ver las págs. 288-90. Las referencias que se colocan entre paréntesis en el texto y que no se identifiquen de otra manera corresponden a esta obra.

ca fabulada" *(Ayala Poveda:* 143*)*.[2] Lengerke llega a Colombia por la misma vía de los conquistadores españoles; sigue los pasos de Gonzalo Jiménez de Quesada al ascender por el río Magdalena y dirigirse a la sabana de Bogotá. El noble germánico es un nuevo conquistador; un alemán, que imbuido de ideas librecambistas, quiere encontrar un nuevo Dorado; pero el tesoro ya no estará en el Amazonas, ni en la laguna de Guatavita, sino en el estado soberano de Santander:

> hay una palabra que ha oído por primera vez, Santander. Allí hay ciudades blancas; en el Socorro los ímpetus de los santandereanos se adormecen al ritmo de los telares ingleses, en Zapatoca las manos de las mujeres parecen tejer las tardes infinitas en las alas de los sombreros de nacuma; Bucaramanga está rodeada de aromas concupiscentes de café y de tabaco, que se mezclan con la fragancia glorificante de las tenerías. La industria, el comercio, son allí una aventura prodigiosa; los caminos esperan ocultos que se les abra; las huellas de los españoles están para seguirlas, para tentar caminos mañana, en el barco en que navegamos ahora. (34)

La cita anterior es preludio de lo que será la vida de Lengerke en territorio santandereano. El alemán y sus coterráneos que llegaron posteriormente, hacen de Santander un pueblo próspero, industrial. Lengerke no es el único alemán que ha ido a Santander; le precedieron en el siglo XVI Ambrosio Alfínger y Nicolás de Federmann, que fueron a Colombia y Venezuela por la concesión otorgada por Carlos V a los hermanos Bartolomé y Antonio Wesler en 1529. Además, el gobierno de los Estados Unidos de Colombia contrató una misión pedagógica en el año de 1871.[3]

El primer arribo de Lengerke a tierras santandereanas se re-

---

[2] Hemos subrayado la palabra *raza* para advertir que no la tomamos en la acepción de "origen, linaje", que es la que comunmente le dan los diccionarios de lengua española. En este estudio la palabra *raza* se refiere a pueblo, y no a una raza o etnia específica desde el punto de vista antropológico.

[3] Para una relación detallada de la llegada de los alemanes a Colombia antes de Lengerke, consúltese el Capítulo I del libro de Horacio Rodríguez Plata cuya referencia se encuentra en las Obras Citadas.

gistra en el año de 1852: "Cuando llegó a Bucaramanga los señores de la ciudad vivían en sus tierras sin muchas pretensiones mercantiles. Al instalar la casa de comercio, la vida de Bucaramanga comenzó a cambiar, a adquirir un acento febril ignorado antes" (35). Luego de permanecer un tiempo en Santander, Lengerke decide regresar a Alemania y animar a sus compatriotas a emigrar a tierras colombianas: "Llegaron los alemanes. Primero Rafael Lorent [...]; después Strauch, Nortenios, Clausen, Goelkel, Hansen, Hederich en la caravana bulliciosa de los conquistadores pacíficos" (57). Lengerke retorna a Santander y se compromete a abrir caminos; construye una casona a orillas del río Chucurí —el castillo de Montebello, como lo llamaban los campesinos—, y alrededor de su propiedad crea un feudo dedicado principalmente a la agricultura.

Las empresas de los alemanes comienzan a dar frutos. En la novela se advierte que "Ya en el Socorro los alemanes han fundado una cervecería; los hay en toda la provincia del Socorro, y en la provincia de Soto buscando dinero" (117). Este asentamiento de los germánicos va constituyéndose poco a poco en un peligro, y así "el pueblo santandereano venía resintiéndose con la fuerte competencia de los alemanes y de sus allegados que prácticamente le estaban modificando su antigua manera de vivir" (Rodriguez Plata: 26). El grupo alemán domina el cultivo del tabaco, del café, los sombreros; a los santandereanos "la llegada de los nuevos conquistadores los alemanes de barba les perturba el seso, los atosiga, los enfurece" (209). La empresa alemana tiene gran éxito, porque como dicen ellos mismos, "Sabemos [...] cómo utilizar el dinero que ganamos" (213).

Actividades mercantiles, agrícolas y de construcción se llevan a cabo entre guerra y guerra. El clima de guerra civil sirve de tela de fondo para el relato de la "Nueva Conquista Alemana". La guerra es una situación permanente; el noble alemán recibe la primera noticia de ella cuando oye a un caballero en una posada antes de llegar a Bogotá decir: "Este pobre país no sale de la guerra; en una provincia o en otra, es casi un estado crónico" (22).

Las luchas entre conservadores y liberales constituyen algo natural para la vida del santandereano y del colombiano. Así por ejemplo, a la pregunta de Lengerke, "¿Qué se dice en San Vicente?", replica Ambrosio: "Nada; todo igual. Las guerras que son todas las mismas, pero creo que esta vez nos irá mejor a los liberales" (101). Cuando Lengerke comenta los negocios con el abuelo Juan de Dios, presagia que "otra vez corren vientos de guerra civil" (105).

Los acontecimientos que sacuden a Bogotá con la división del partido liberal entre gólgotas y draconianos se va sintiendo en Bucaramanga. Ya no es una guerra entre liberales y conservadores sino una "mezcolanza" (165). En esta parte de la narración, el personaje de Lengerke pasa a un segundo plano y el relato de las cruentas contiendas gana el espacio narrativo. La guerra que enfrenta escarapelas enemigas, los tiros, los machetazos, los cadáveres, los pueblos incendiados encuentran su escenario en la novela. Lengerke, entre tanto, permanece neutro, pese a que, obviamente, sus simpatías se inclinan hacia los liberales:

> le fascinaba verlos actuar, oirlos repetir a su ídolo, Murillo Toro, evangelizar sus ideas liberales (La educación no es problema del estado sino la iniciativa de los ciudadanos, las vías de comunicación deben hacerlas los particulares, el gobierno debe sentirse lo menos posible). (173-174)

Corren páginas y páginas refiriéndose a los combates civiles. Nombres de generales de uno y otro bando desfilan uno tras otro; es una guerra que nunca se entiende, y bien se lo decía el suizo Elbers a Lengerke: "Me parece que ambos bandos pelean por lo mismo" (168).

La vida de las poblaciones de Zapatoca, de San Vicente, de Bucaramanga sigue su curso normal, aunque está salpicada de guerra. Un ejemplo de ello es la llegada del joven zapatoca, don Pablo, después de un combate con los conservadores:

> Viene quieto sobre la silla, no contesta los saludos de los que se cruzan con él [....] Los sombreros se levantan en saludo respetuoso que don Pablo no contesta ni contestará nunca [....] Como don Pablo tiene amigos y tiene parientes pasará ahora por sus haciendas rápidamente para dar noticia de la guerra y seguirá imperturbable, porque don Pablo viene muerto, muerto de un tiro de fusil en el pecho [....] A las cinco de la tarde llega a la casa de su hacienda y se

> detiene en el patio [....] le amortajan y le velan toda la noche, pero mientras tanto don Pablo sigue y seguirá en su mula negra recorriendo el camino de la guerra. (203)

El santandereano en particular, y el colombiano en general, está tan acostumbrado a la situación de guerra, que al paso de don Pablo no se da cuenta de que está sin vida; la guerra se convierte en un fenómeno rutinario. El entramado novelesco da una imagen de una realidad colombiana que ha perdurado desde la Patria Boba: el progreso material y el avance hacia la civilización, matizado por un fondo de luchas fratricidas que destruyen en muchas oportunidades lo que ha logrado hacerse. Empresas mercantiles y guerras civiles van paralelas sin tocarse unas a otras; sólo convergen en el punto culminante del relato, los sucesos sangrientos de septiembre en Bucaramanga que se desencadenan merced a la ira de algunos de sus habitantes contra los alemanes. El lema de los rebeldes es: "Acabemos con los demonios rubios que se apoderan de todo y nos están anegando en corrupción" (211).

Durante un funeral en la iglesia de San Laureano, uno de los aliados del grupo de los alemanes —del grupo de El Comercio— hiere a Cecilio Sánchez —del grupo La Culebra— enemigo suyo, y éste último le responde. Hay un remolino de gentes, muertes de ambos bandos, y mueren los hermanos Hermann Hederich —director del Banco de Santander— y Christian Goelkel —comerciante. Se establece una lucha que es una disputa por el poder económico, una contienda social.[4]

La muerte de los alemanes provoca el pánico: "Muchos alemanes han tomado el Magdalena hacia la costa, pobres o ricos, para regresar a su patria" (223). Lengerke continúa sus empresas; ahora tiene que enfrentar una nueva reyerta: el gobierno central le ha dado sus concesiones de quina a Manuel Cortissoz: "El abuelo mira cómo se extiende la guerra de la quina, cómo se acuchillan los peones en los quebraderos del camino" (245). La guerra de la quina termina un día para Lengerke cuando un día, "cierra los ojos y muere, y el sol se hunde definitivamente" (259).

---

[4] Véase el Capítulo III de la obra de Rodríguez Plata en donde se halla un relato documentado de los sucesos del 7 y 8 de septiembre en Bucaramanga.

Pero, ¿ha desaparecido con Lengerke la raza alemana de Santander? Sin duda no es así; recordemos que Lengerke regresó a Alemania para encontrar quienes le acompañaran en su empresa, los mil alemanes de cabezas rubias que abrirían la montaña, sembrarían las grandes plantaciones, trazarían los caminos, construirían los castillos'' (45). Los alemanes van llegando poco a poco; ''El abuelo ve pasar la cabalgata de rubios tudescos'' (55). Un comentario del abuelo muestra la contribución alemana a la raza santandereana: ''Mejorará la raza, piensa el abuelo con sonrisa burlona, recordando que el obispo de Pamplona comentó que si no son católicos son buenos trabajadores, y si no son castos, embellecen la raza'' (56). Lengerke, y los otros alemanes con él, como le decía un francés, ''Sucumbirá [...] y sin dejar de ser alemán será colombiano'' (71).

De la descendencia de Lengerke poca noticia da la novela. Se sabe de Guillermo, el hijo de Berta, que aprende las primeras letras en el colegio de Victoriano Paredes en Bucaramanga; el hijo de Francisca muere. Naturalmente no se sabe la cantidad de hijos que pudo tener el noble en sus aventurillas. En el relato se llama la atención sobre el aporte de la sangre germánica al apuntar que en Zapatoca ''[d]e pronto pasa una campesina rubia de ojos azules, joven y bonita, huella de los alemanes'' (251).

Es cierto que murieron Hederich y Goelkel, y les siguió Lengerke. Algunos alemanes retornaron atemorizados a su patria después de los hechos de septiembre. Pero los alemanes

> [t]rataron de modificar un ambiente, y ese ambiente a ellos los destruyó, en tanto que a otros los asimiló completamente [...] encontraron una nueva patria; se quedaron acá y realizaron la simbiosis cultural con las gentes que hallaron a su paso. Si ellos aprovecharon mucho de las tierras y de las gentes que los acogieron, el departamento de Santander también se benefició mucho de ellos, no sólo en cierta modernidad que le aportaron sino en sus numerosos descendientes [...] Hoy esos alemanes, son completos santandereanos a través de sus descendientes. (Rodríguez Plata: 159)

En la actualidad Hederich, Stunkel, Clausen o Lubinues son apellidos tan santandereanos como Serrano, Acevedo, Díaz o Valderrama. Rodríguez Plata denomina al fenómeno de la inmigración alemana un fenómeno de "transculturación", una inmigración que vinculó a los germanos con la nueva patria mediante matrimonios y la formación de hogares que resultaron colombianos a la postre.

Un componente fundamental de la raza santandereana es el indígena. Las tribus de yariguíes —caribes guerreros— aparecen en la obra de Gómez Valderrama como un ente aparte, no constitutivo de la fusión de razas. Esto se debe a que ya a mediados del siglo XIX lo español y lo indio han formado un mestizaje. En la novela se presenta a los indios como salvajes que impiden el desarrollo de las empresas alemanas, especialmente la construcción de caminos. Los indígenas combaten, luchan, "Tienen razón en luchar, tienen en la selva sus propios rumbos, sus trochas propias. Y la civilización blanca, o mejor, mestiza y mulata, pretende imponerles un patrón distinto, un esquema de conceptos diferentes" (154). La anotación "o mejor" es muestra de que el mestizaje es un hecho en territorio santandereano; y el mestizo se une con el aporte étnico germánico: el pueblo de Santander es, pues, la fusión de tres razas: la española, la indígena y la alemana.

Todo lo acaecido en medio siglo de novela y de realidad es un discurso llevado a modo de leyenda. Aunque la narración se da desde la perspectiva de una tercera persona omnisciente la mayor parte del tiempo, la leyenda la cuenta un narrador testigo, el abuelo, don Juan de Dios, el liberal radical oriundo de Zapatoca —Juan de Dios Gómez Naranjo en la vida real, abuelo del autor. Por medio de esta técnica narrativa, Gómez Valderrama juega con dos modos de narrar: la narración objetiva de tercera persona, y la narración de alguien que presencia los hechos, es partícipe de ellos, y puede, por lo tanto, evaluarlos. De esta manera, nuestro autor logra conjugar dos discursos en su novela: el discurso histórico y el legendario . La historia de Santander no será únicamente la presentada por Rodríguez Plata, *La otra raya del tigre* será la reestructuración de una historia con la ayuda del mismo Rodríguez Plata de los recuerdos mediadores de los abuelos.

La primera conquista de América tuvo crónicas fabuladas, como las de Bernal Díaz del Castillo y de González de Oviedo, que sirvieron para referir la empresa. La inmigración alemana a territorio colombiano, una reciente conquista en busca de un nuevo Dorado, es materia de una nueva crónica, que mediante historia y leyenda se encarga ahora de poner ante el lector una revisión dialógica de lo que fue la historia de la raza santandereana.

OBRAS CITADAS

Ayala Poveda, Fernando, *Manual de literatura colombiana.* Bogotá: Educar Editores, 1984.

Gómez Valderrama, Pedro. *La otra raya del tigre.* Bogotá: Editorial La Oveja Negra, 1983.

Rodríguez Plata, Horacio. *La inmigración alemana al Estado Soberano de Santander en el siglo XIX.* Bogotá: Editorial Kelly, 1968.

ALVARO CEPEDA SAMUDIO

Germán Vargas
El Heraldo, Barranquilla

Pienso que mis ilustres amigos, los profesores que integran la Asociación de Colombianistas Norteamericanos, han olvidado hasta ahora en estas gratísimas reuniones anuales, tan provechosas por lo mucho que en ellas aprendemos los que estamos en permanente actitud de aprendizaje, han olvidado, repito, un hombre y una obra para mí muy importantes en el desarrollo de la narrativa colombiana del presente siglo. Me estoy refiriendo a Alvaro Cepeda Samudio.

Bien sé que Raymond Williams en su primera relación con la literatura colombiana, en un breve texto titulado *La novela colombiana contemporánea* (Bogotá: Plaza y Janés, 1976), hizo una rápida pero acertada referencia a la novela de Alvaro Cepeda, *La casa grande.* Dice de ella que "las tres novelas claves que efectivamente abren el camino para la nueva novela en Colombia son *La hojarasca* (1955) de Gabriel García Márquez; *La casa grande* (1962), de Alvaro Cepeda Samudio y *Respirando el verano* (1962), de Héctor Rojas Herazo". Y agrega: "Rompen (estas tres novelas) con las estructuras de la tradición realista-naturalista. La innovación estructural que efectúan también representa una fuerte tendencia faulkneriana: son novelas transformadoras que funcionan a base de un regionalismo".

Más adelante añade Raymond Williams: "*La casa grande,* la tercera novela de la apertura, recrea el hecho histórico de la masacre en la zona bananera en 1928. Es una novela del poder, de los soldados como objetos del poder y su enfrentamiento con los obreros. Como individuos, los soldados no tienen motivos para llevar a cabo la matanza, pero como objetos del poder cumplen las órdenes. Y como objetos no tienen nombres, son siempre los soldados. Se aprecia el manejo de la técnica narrativa a través de diez capítulos cuyos recursos narrativos son distintos en cada uno, penetrando así, de una manera diferente, en las diez escenas circunstanciales de la huelga''. Hasta aquí Raymond Williams, quien no ha vuelto, —que yo sepa—, a ocuparse de Alvaro Cepeda.

Y sé también que otro excelente amigo, el profesor Seymour Menton, ha traducido al inglés, con acierto según me informan gentes que dominan esa lengua y conocen a fondo la novela de Cepeda Samudio, *La casa grande.* Pero es todo, hasta donde yo sé. Y por eso me permito solicitar que en una próxima reunión de la Asociación de Colombianistas Norteamericanos, se rinda el homenaje debido a este gran narrador barranquillero.

La casa grande es la segunda de las obras publicadas por Alvaro Cepeda Samudio. Y, como antes dije, su única novela. A ella he de volver más adelante.

Ahora quiero referirme a su primer libro, *Todos estábamos a la espera,* editado en Barranquilla en 1954. De esta colección de cuentos hay una segunda edición de Plaza y Janés (1980), con prólogo del profesor francés Jacques Gilard y, como apéndice, dos nuevos textos que no están en la publicación original.

Son en total nueve cuentos, acerca de los cuales Cepeda Samudio escribió: ''Estos cuentos fueron escritos, en su mayoría, en Nueva York que es una ciudad sola. Es una soledad sin solución. Es la soledad de la espera. Los personajes son hombres y mujeres que yo he visto en un pequeño bar de Alma, Michigan; esperando en una estación de Chatanooga, Tennessee; o simplemente viviendo en Ciénaga, Magadalena. Y las palabras son inferiores a ellos''.

En una nota que escribí hace 33 años y que se publicó en la solapa de la primera edición de *Todos estábamos a la espera,* coloqué estas palabras: ''Con Alvaro Cepeda Samudio, como con Gabriel García Márquez, está surgiendo en Colombia, donde todavía se suscitan pintorescos debates sobre nacionalismo literario, el cuento con sentido universalista, que se sale del estrecho marco parroquial''.

El tercer libro de narrativa de Alvaro Cepeda Samudio es *Los cuentos de Juana.* La edición se publicó el mismo año de su muerte (1972), hermosamente ilustrada por el gran pintor colombiano Alejandro Obregón. Hay una segunda edición de Carlos Valencia (1980).

En algunos de los textos de *Los cuentos de Juana* está presente la violencia. Un tipo de violencia muy especial y de tono que hasta podría llamarse regocijante por lo absurdo. De modo notable es el titulado "Desde que compró la cerbatana, ya Juana no se aburre los domingos". Allí se cuenta cómo "Juana sigue sentándose todos los domingos por la tarde en el balcón, frente al campo de fútbol, pero ya no se aburre. Con su cerbatana y una caja llena de dardos, que ella misma fabrica durante la semana con taquitos de madera y puntas afiladísimas de agujas de coser número 50 y que luego envenena cuidadosamente, Juana se distrae matando tres o cuatro jugadores todos los domingos".

Es hora de regresar a *La casa grande.* Como la acción de esta novela se desarrolla en la Colombia de 1928, se trata obviamente de otra violencia. Distinta de la que mi país viene viviendo desde la segunda mitad de la década de los cuarenta. Pero también la violencia de 1928 fue promovida desde y por el alto gobierno de Bogotá. Como sucedió a partir de 1948. Y aún algo antes.

En *La casa grande,* unos soldados se internan en la zona bananera donde los obreros se han declarado en huelga, en demanda de condiciones más humanas de vida y de trabajo. La represión se cumple de manera brutal, sin que los trabajadores tengan siquiera tiempo de plantear sus reclamaciones. Los soldados, acatando las órdenes de sus jefes, disparan y causan la muerte a muchos de los presuntos amotinados, previamente declarados "cuadrilla de malhechores", como en el decreto del jefe civil y militar, general Carlos Cortés Vargas, se señala "a los revoltosos, incendiarios y asesinos que pululan en la actualidad en la zona bananera". Son palabras textuales de la mencionada disposición ejecutiva. Pero hay todavía más. En el artículo tercero del decreto se lee: "Los hombres de la fuerza pública quedan facultados *para castigar por las armas* a aquellos que se sorprendan en infraganti delito de incendio, saqueo y ataque a mano armada y en una palabra son los encargados de cumplir este Decreto". Se autoriza, por tanto, algo muy parecido a la aplicación de la pena de muerte, sin juicio previo. Es la violencia desde el gobierno.

Gabriel García Márquez escribió en una nota para la edición argentina de *La casa grande* lo siguiente: "Es una novela basada en un hecho histórico: la huelga de los peones bananeros de la Costa Atlántica colombiana en 1928, que fue resuelta a bala por el ejército. Su autor, Alvaro Cepeda Samudio, que entonces no tenía más de cuatro años, vivía en un caserón de madera con seis ventanas y un balcón con tiestos de flores polvorientas, frente a la estación del ferrocarril donde se consumó la masacre''.

Y agrega más adelante: ''Los diálogos magistrales, la riqueza viril y directa del lenguaje, la compasión legítima frente al destino de los personajes, la estructura fragmentada y un poco dispersa que tanto se parece a la de los recuerdos, todo en este libro es un ejemplo magnífico de cómo un escritor puede sortear honradamente la inmensa cantidad de basura retórica y demagógica que se interpone entre la indignación y la nostalgia''. Hasta aquí García Márquez.

En 1974, escribí el siguiente texto sobre Alvaro Cepeda Samudio y *La casa grande,* publicado de nuevo en mi pequeño libro *Sobre literatura colombiana* (Bogotá: Fundación Guberek, 1985):

''La editorial española Plaza y Janés en Barcelona publicó una nueva edición, la cuarta, de una de las pocas novelas colombianas evidentemente importantes que se han escrito en el país: *La casa grande* de Alvaro Cepeda Samudio.

A comienzos de 1962, en uno de mis frecuentes viajes a Barranquilla me entregó Alvaro Cepeda los originales de esta novela, que tenía prácticamente terminada de tiempo atrás pero de la cual no había escrito hasta poco antes ni una línea. La tenía concluida en su imaginación y de ella contaba muchas veces episodios enteros ante la admiración cordial y entusiasta del grupo de sus amigos, que ya conocíamos los extraordinarios cuentos de *Todos estábamos a la espera* y sabíamos de la indudable capacidad de Alvaro Cepeda para escribir, de su segurísimo pulso de narrador, pero reconocíamos también su falta de dedicación al oficio de sentarse a redactar algo que después quedara plasmado en un libro.

Fue necesario que, por un error de diagnóstico, un médico se atreviera a afirmar que Alvaro Cepeda padecía de tuberculosis para que él se dedicara a encerrarse a tomar leche y a trasladar al papel frente a su máquina de escribir, esta excelente novela.

De regreso en Bogotá y después de haber leído con creciente entusiasmo *La casa grande* entregué los originales a Jorge Durán, quien entonces había iniciado la publicación de sus Ediciones Mito, paralelamente a la revista del mismo nombre. El poeta Gaitán se emocionó al leerlos y se convino la publicación en libro, haciéndose antes la de algunos capítulos en la revista. Y así salió la primera edición de *La casa grande* a mediados de 1962, con un total de 220 páginas, un hermoso y tierno dibujo de Freda Sargent y abundancia de blancos, como le gustaba al autor.

En 1967 se publicó en Buenos Aires la segunda edición, hecha por la Editorial Jorge Alvarez, para la cual escribió una nota de contraportada, muy cordial y veraz, Gabriel García Márquez. La tercera edición la hizo en 1973, después de muerto Alvaro, el Instituto Colombiano de Cultura en su colección popular, bajo el número 71 de esta serie. En las cuatro ediciones aparece la dedicatoria a Alejandro Obregón, el gran pintor y gran amigo del autor.

A Alvaro Cepeda lo conocí hacia 1946 o 1947; personalmente ya había leído unas notas suyas que aparecían diariamente en el vespertino barranquillero que dirigía Julián Devis Echandía. *En el Margen de la Ruta* se llamaba la columna de Alvaro Cepeda Samudio. Un día apareció una nota sobre Baltasar Miró, un joven escritor español a quien habíamos conocido en Barranquilla y que había muerto en esos días en Venezuela, creo que tuberculoso. En su hermosísima nota, con el título *Tú lo mataste, Franco,* Alvaro hacía el elogio de Miró, acusaba al dictador español de su muerte y nos citaba a Alfonso Fuenmayor y a mí como periodistas que seguramente estaríamos de acuerdo en culpar a Franco por la muerte de Miró. Yo iba entonces frecuentemente a *El Nacional* y Julián Devis nos presentó. Alvaro Cepeda resultó ser un estudiante de bachillerato que estudiaba en el Colegio Americano. Era muy deportista y tenía dos grandes pasiones: el cine y la literatura española. Conocía íntimamente todo lo relacionado con el uno y con la otra. Le apasionaba especialmente Azorín. Alvaro Cepeda era hijo único, huérfano de padre, y su mamá, doña Sarita, era para él madre, padre, hermana, todo. El era muy de su casa y le gustaba invitar a sus amigos allí a comer y a beber. (Ah: *los callos a la madrileña,* singularísima e inolvidable experiencia culinaria de doña Sarita).

Por varios años fuimos compañeros de trabajo en el diario de Julián Devis, al cual yo volví cuando conocí a Alvaro Cepeda. Antes de recalar en La Cueva tuvimos distintos sitios de reunión: el Café Colombia, el Japy —escrito así—, Los Almendros, un extraño bar que se llamaba El Tercer Hombre, el América-Billares. Era ya lo que Próspero Morales Pradilla llamó, desde *El Tiempo,* el *Grupo de Barranquilla.* Todo giraba en torno al gran escritor catalán Ramón Vinyes, *el sabio catalán* de *Cien años de soledad.* Don Ramón, autor teatral, cuentista, animador de cultura, valor humano extraordinario, no bebía sino Coca-Cola, en cantidades impresionantes; con su palabra y con su estímulo fue agrupado a unos cuantos jóvenes barranquilleros que leían libros, escribían en la prensa, veían y discutían películas, iban a los partidos de fútbol en Barranquilla y a los de béisbol en Cartagena y hacían una amable y, muchas veces, prolongadísima bohemia.

Alvaro Cepeda se fue a los Estados Unidos a hacer un curso de periodismo, becado por el gobierno del Atlántico. A su regreso, trajo unos cuantos libros de Truman Capote, de Norman Mailer, y la corresponsalía de *The Sporting News,* de San Luis, Missouri, considerado como la biblia del béisbol en el mundo. En esa época, el *Grupo de Barranquilla* publicaba una revista deportivo-cultural, una mezcla aparentemente muy extraña: *Crónica,* el gran semanario... En la carátula iba siempre la fotografía de un gran futbolista —Heleno de Freitas, Memuerde García, Vigorón Mejía—, seguida de un reportaje. Y en las páginas centrales cuentos de García Márquez, de Cepeda Samudio, de José Félix Fuenmayor, de Hemingway, de Capote, de Borges, de Cortázar, de Felisberto Hernández. La dirigía Alfonso Fuenmayor y el jefe de redacción era García Márquez, a quien le decíamos Gabito —como se le dice en la Costa a todos los Gabrieles— y no Gabo, que es nombre cachaco.

En 1954 hicimos con Alfonso Fuenmayor y Alvaro Cepeda, con el auspicio generoso y cordial de Jorge Rondón, dueño de la Librería Mundo, la edición del primer libro de cuentos de Alvaro: *Todos estábamos a la espera* y, poco después, la de *Enero 25,* un tomo de relatos de Eduardo Arango Piñeres, un muchacho costeño que después se dedicó a hacer plata y a ocupar cargos importantes. Y ahí terminó la aventura editorial. El libro de Alvaro Cepeda es hoy inencontrable y casi ha pasado al territorio de la leyenda. Casi nadie lo conoce, a pesar de que editorialmente es algo precioso y literariamente vale muchísimo, como lo anunció con su habitual perspicacia Hernando Téllez cuando fue publicado. Téllez, como es sabido, era muy parco en cuanto a escritores nacionales y casi nunca escribía sobre ellos. Al libro de Cepeda le dedicó un extenso ensayo en la primera página de las Lecturas Dominicales de *El Tiempo.* Las ilustraciones del libro las hizo Cecilia Porras, excelente pintora y dibujante.

Alvaro Cepeda inicialmente había escrito poemas. Y cuando estuvo en Estados Unidos escribió algunos realmente valiosos. Recuerdo especialmente el dedicado a Eileen, una muchacha a quien había conocido allá y que, al regresar, leíamos o hacíamos leer a Alvaro, casi siempre por iniciativa de Alfonso Fuenmayor, con la misma frecuencia con que nos reuníamos a tomarnos unos tragos.

Un día, quizá en 1955, Alvaro Cepeda fue a buscarme a mi casa y me dijo que lo acompañara en su automóvil. En el camino me dijo que había decidido casarse con la Tita —Teresita Manotas, su novia— y que fuéramos a hablar con un cura. Así lo hicimos y al día siguiente se hizo el matrimonio, que pretendía ser secreto. Unicamente asistimos: los novios, obviamente, una amiga de Tita (la Mona Conde) y yo. Como es natural, a todos se nos olvidó pensar en las arras, que entonces eran indispensables. Tuvimos que reunir monedas de distintos valores; de cinco, de diez, de veinte, de dos centavos, hasta de uno. Pero faltaban dos monedas y hubo de ponerlas el propio cura. Terminada la ceremonia, dejamos a Tita y a su amiga en sus casas y nos fuimos a beber. Alvaro viajó al otro día a los Estados Unidos y meses después el secreto dejó de serlo. (Doña Sara nos perdone). Del matrimonio con la Tita hay dos hijos, que eran la adoración de Alvaro Cepeda: Patricia y Alvaro Pablo.

Uno de los mejores amigos —quizá el mejor de todos— de Alvaro y de nosotros era Quique Scopell, un extraordinario personaje de fábula y de realidad sobre quien habrá que escribir algún día algo muy especial, por sus inmensos valores humanos. Con Quique como reportero gráfico, viajó Alvaro a Guayaquil al campeonato suramericano de fútbol, enviado por *El Nacional.* Entre los dos hicieron algunos reportajes verdaderamente excelentes.

Pasaron los años y Alvaro Cepeda, que tenía superiores condiciones de narrador pero que nunca tuvo la vocación y el sentido del oficio de escritor de García Márquez, se dejó envolver por lo que cierta gente llama *la vorágine de la vida* y se dedicó a vivir bien. Vivió intensamente con esa vitalidad casi sobrehumana que lo caracterizaba. Dirigió el *Diario del Caribe* por muchos años y escribió *Los cuentos de Juana,* editados en 1972, el año de su muerte.

En los años cincuenta, Alvaro Cepeda había hecho cine. Participó como guionista y actor en el cortometraje, ''La langosta azul'' filmado en el corregimiento de La Playa. Después hizo varias películas cortas más, de mucho sentido cinematográfico, y un noticiero de cine.

Alvaro Cepeda había nacido en Barranquilla el 30 de marzo de 1926 y murió en Nueva York el 12 de octubre de 1972''.

CABALLERO CALDERON: AUTOR EN BUSCA DE PERSONAJE

Kurt L. Levy
University of Toronto

Hay periódicos que pecan por comisión y otros que pecan por omisión. Algunos se permiten el lujo de intromisión y no todos cultivan la plena conciencia del sufijo clave, o sea ''misión''. Huelga decir que no me refiero a un período de la costa del Caribe de cuyo nombre siempre me acuerdo con el mayor gusto. Aludo más bien a un periódico de un lugar de la costa del Mediterráneo donde varias novelas de Caballero Calderón vieron la luz del día, bajo los auspicios de Ediciones Destino.[1]

En su entrega del 17 de marzo de 1966, *El Mirador Literario* de Barcelona facilita la información siguiente: ''Con el rusoniano título de *El buen salvaje* Eduardo Caballero Calderón escribió una novela que obtuvo el premio Eugenio Nadal del año pasado. Caballero Calderón es colombiano y vive en París. En *El Tiempo* de Bogotá escribe una columna que ha hecho famosa. Otros títulos suyos: 'El arte de vivir y soñar', 'Caminos subterráneos', 'Diario de Tipacoque', 'Los campesinos', 'Ancha es Castilla', 'Americanos y europeos', etc., etc. Confieso que las etcéteras me fascinan aunque no me satisface su anonimidad y no resisto la tentación de penetrarla. ¡Quién no evoca con placer el sabor deliciosamente picaresco de ''las tres etcéteras del Libertador''[2] cuya fusión de ''algo, y aun algos, de mentira y tal cual dosis de verdad'' invita a la interpretación imaginativa de los ciudadanos ingenuos de la aldea ecuatoriana! En la nota citada sobre la novela premiada no se trata desde luego de mala interpretación; se trata

---

[1] Véanse como ejemplos *El buen salvaje* (1966), *Siervo sin tierra* (1967), *Caín* (1969).

[2] Ricardo Palma, *Tradiciones peruanas* (Madrid: Espasa-Calpe, 1961), Tomo V, págs. 105-109.

más bien de mal énfasis y de falta de criterio equilibrado. Ni mención de *Memorias infantiles,* ni de *Manuel Pacho,* ni de *El Cristo de espaldas.* Un enfoque parecido, con énfasis predominante en la parte ensayística de la obra del autor, dicta la presentación del bonito tomo de cuentos publicado en 1971[3] en que el lector se entera de que Caballero Calderón es "autor de profundos ensayos sociológicos [que] cultiva también el cuento y la novela". De nuevo el ensayista asfixia al narrador o, por lo menos, pretende monopolizar sus recursos creadores.

Mi breve ponencia de hoy será en defensa de éste sin que se dejen de reconocer los méritos de aquél. Hay quienes sostienen que Caballero Calderón es mejor novelista que ensayista. Yo, igual que el genial tradicionista peruano del siglo diez y nueve, "ni lo niego ni lo afirmo. Puede que sí puede que no".[4] Francamente me asustan las palabras abruptas "mejor" y "peor" por el criterio subjetivo que implican. Mientras más viejo menos dogmático tiendo a ser y más difícil se me hace prescindir del color muy personal del cristal con que me atrevo a mirar las cosas de este mundo. Este cristal me lleva a hacer hincapíe esta mañana en un aspecto clave del arte de novelar del autor boyacense, o sea su búsqueda del personaje, producto de imaginación y de memoria.

Varios escritos suyos claramente desafían la anonimidad del término "etcétera". En unos de ellos, el autor subraya su simpatía por el campesino humilde, siendo defensor contra el hambre insaciable de "tierra, tierra... más tierra"[5] que envenena la conducta de una clase social. Otra etcétera, *Manuel Pacho,* ha ascendido al firmamento gracias al análisis perspicaz de mi buen amigo Seymour Menton en su excelente estudio sobre la novela colombiana.[6] Asimismo no puedo dejar de citar con respeto las páginas acertadas del amigo Leon Lyday cuyas investigaciones sólidas abren la puerta a un avalúo más amplio y más equilibrado de la labor mutifacética de nuestro autor. Y ¿Enrique Buenaventura, Otto Morales, Germán Vargas? Este veterano "casi legen-

---

[3] El tomo fue publicado por el Instituto Colombiano de Cultura.

[4] "El alacrán del fray Gómez", Ricardo Palma, *op. cit.,* Tomo IV, págs. 75-79.

[5] *Siervo sin tierra* (Medellín: Bedout, sin fecha), pág. 8.

[6] *La novela colombiana: planetas y satélites* (Bogotá: Plaza y Janés, 1978), págs. 189-216.

dario'' se siente muy humilde ante tantas autoridades de letras colombianas.

Injustamente camuflada también, en mi opinión, está *Memorias infantiles,* relato saturado de ''emoción, inteligencia y gracia'', según Edmundo Rico, que capta los momentos notables en la vida del autor desde la primera comunión hasta la primera novela. Los apuntes autobiográficos que abarcan los años entre 1916 y 1924 y que incluyen el célebre encuentro con don Antonio Gómez Restrepo, ''mi primera víctima literaria'',[7] reflejan el enfoque del personaje así como la resonancia sensorial del novelista, dos elementos que caracterizan el arte de novelar a lo largo de su carrera creadora. En *Memorias infantiles* las figuras ilustres que dejan su huella en los anales de la patria lucen apenas aspecto de fantasmas ''esquemáticos y silenciosos''. En cambio, rebosa la vitalidad y la ''luz interior'' de las viejas sirvientas así como los cocheros, los jardineros y los peones que ''se expresaban en un lenguaje arcaico, detenido milagrosamente en la época de la colonia'' (pág. 30). En cuanto a la resonancia sensorial de Caballero Calderón, la importancia de la dimensión auditiva se trasluce en frases tales como ''todos estos rumores rimaban con mi silencio interior'' (pág. 55).[8]

Sin duda el más flagrante pecado de omisión que comete la presentación del periódico barcelonés bajo el rotulo ''etcétera'' es el libro que sale en Buenos Aires en 1952, a dos años de mi primera visita a Colombia. Me refiero a *El Cristo de espaldas,* considerada por lo común una de las primeras novelas de la violencia colombiana y uno de los más estimulantes frutos literarios de esos años traumáticos. No es mi tarea discutir en este gremio el fenómeno histórico de la violencia el cual me tocó presenciar. Por ser el *leitmotif* de este encuentro, recibirá su atención debida de parte de orientadores más competentes. La dimensión que me interesa a mí es el aspecto novelesco, faceta que algunas veces se pasa por alto o, por lo menos, se subestima al hacer hincapié en el trasfondo social. Hasta Curcio Altamar, sin duda una de las autori-

---

[7] *Memorias infantiles* (Medellín: Bedout, 1964), pág. 50. Mis citas provienen de esta edición.

[8] Menton hace destacar la importancia de los efectos auditivos en *Manuel Pacho (op. cit.,* págs. 210-211).

dades más prestigiosas en el campo de la novelística colombiana, conceptúa que *El Cristo de espaldas* "se remite a la novela de hechos exteriores"[9]. Creo que por más que entren los "hechos exteriores" (y evidentemente tienen que entrar en la cosmovisión del periodista comprometido), el compromiso del creador literario abraza prominentemente la definición de los "hechos interiores" y una visión clara del personaje que convence.

Este personaje convincente del nuevo cura que acaba de salir del seminario es un triunfo del novelista.[10] Al asignarle su primer puesto, el obispo le advierte con sabiduría que el estreno puede ser para él "paraíso espiritual o infierno espantoso" (pág. 23). El viernes por la mañana (a un día de la llegada del cura) muere asesinado el gamonal, comenzando la búsqueda del delincuente. Por intervenir el asesinato y desconocerse la identidad del culpable se ha pretendido calificar la novela de obra policíaca. Tal rótulo me parece inadecuado porque ignora la dimensión sicológica; el punto de énfasis artístico no es la identidad del asesino —un hecho exterior— sino el dilema íntimo del buen pastor, de cualquier buen pastor bajo circunstancias parecidas. El sacerdote, "el único personaje visto por dentro en toda su dramática dimensión",[11] se desdobla a lo largo de la obra, poniendo de manifiesto el choque entre ideas y palabras, substancia y forma.

El riguroso escrutinio de su conciencia y de sus móviles le lleva a la conclusión de "lo que él califica de humildad podría ser orgullo". Las fieras palabras "en la iglesia el amo soy yo" (pág. 79) revelan a un cura muy distinto de los exponentes del clero caricaturizado en tantas novelas del género indigenista. Se parece al padre Casafús de Carrasquilla (lo cual ha notado Curcio Altamar,[12] y precede al padre Barrios, una de las creaciones más exquisitas de Manuel Mejía Vallejo en *El día señalado.* El fiasco del cura de Caballero Calderón no puede menos de traernos a la memoria el dilema del joven sacerdote en *Pepita Jiménez;* ambos,

---

[9] *Evolución de la novela en Colombia* (Bogotá: Instituto Caro y Cuervo, 1957), pág. 258.

[10] *El Cristo de espaldas* (Buenos Aires: Losada, 1952). Mis citas provienen de esta edición.

[11] Oscar Gerardo Ramos, *De Manuela a Macondo* (Bogotá: Instituto Colombiano de Cultura, 1972), pág. 79.

[12] *Op. cit.,* pág. 258.

productos teóricos del seminario, se enfrentan con la vida sin darse cuenta de los escollos de la realidad. Su idealismo se une a compasión auténtica para producir en el momento culminante la intervención física en un dramático gesto protector para el individuo inocente. Este gesto dramático, de paso sea dicho, se convierte una década después en leitmotif de novela. Es indicio embrionario del postulado del autor de que "cualquier hombre, por humilde e insignificante que sea, tiene alguna vez en su vida un momento de aproximación al éxtasis del místico... o al sacrificio del héroe".[13]

El dilema del sacerdote convence en términos artísticos y conmueve al nivel humano: igual que en el caso del padre Casafús medio siglo antes, la buena voluntad y el entusiasmo espontáneo, en fin el idealismo, se despistan y se pierden por falta de experiencia práctica. Curcio Altamar afirma que Caballero Calderón "hizo a su santo-humano santo y más humano" (*Evolución,* pág. 258). A mí me parece que Caballero Calderón acierta precisamente haciendo a su cura más humano que santo. Fracasa porque vive en la teoría del seminario. Es incapaz de dialogar, de comunicarse eficazmente y de reconocer que hasta las más verdaderas verdades se pueden perder si no se tiene en cuenta la sabiduría del adagio: "C'est le ton qui fait la musique". Suárez Rondón, subrayando los fines políticos del autor, alude a la "intención non sancta de Caballero Calderón".[14]

Dentro del contexto crítico de una década en que Luis Alberto Sánchez coloca por encima del portal del "infierno novelístico latinoamericano" el lema "Por mí se va al caos. Por mí se alcanza a conocer el predominio del mundo vegetal y mineral sobre las personas",[15] década en que Zum Felde plantea su teoría telúrica[16] y Claude Couffon lamenta la ausencia, en las letras hispanoamericanas, de las dos cualidades esencialmente europeas

---

[13] "Epígrafe (Del epílogo que ha podido servir de prólogo)", *Manuel Pacho* (Medellín: Bedout, sin fecha), pág. 5.

[14] Gerard Suárez Rondón, *La novela sobre la violencia en Colombia* (Bogotá: Luis F. Serrano A., 1966), pág. 74.

[15] *Proceso y contenido de la novela hispanoamericana* (Madrid: Gredos, 1953), págs. 63-64.

[16] *Indice crítico de la literatura hispanoamericana: La narrativa* (México: Editorial Guaranía, 1959).

del equilibrio y de la razón[17] —dentro de este contexto impresiona la novela de Caballero Calderón por su unidad, economía de palabras, equilibrio de la estructura y penetración sicológica. Enfocando el caos ideológico de la violencia, el autor lo trata con sobriedad, disciplina y con buen gusto. No cabe duda de que la novela es "the most artistic treatment of a specific social phenomenon"[18] aunque el fenómeno social no me parece ser el centro de gravedad artística. El autor, claramente en busca de un personaje que satisfaga la orientación de su credo literario, nos entrega una novela disciplinada de la violencia y un estudio sicológico emocionante. El lamentado crítico colombiano Hernando Téllez enaltece la novela como "la mejor de todas las novelas colombianas que he leido hasta ahora," homenaje impresionante para quienes conozcan el criterio riguroso del exigente juez.

Las instituciones académicas del estado de Michigan tienen una tradición de honrar a distinguidos latinoamericanos. Ann Arbor, en posición pionera, confirió un doctorado *honoris causa* a Sarmiento a mediados del siglo diecinueve y fue la primera universidad norteamericana que reconociera así al panorama literario de la América Latina. Exactamente un siglo después, East Lansing se honró honrándole a Borges de la misma manera. El 19 de abril de 1973, en conferencia invitada por Michigan State, Caballero Calderón se pronuncia claramente sobre el tema "El escritor y los críticos". Refiriéndose a los críticos "omniscientes" que sin entender ni la obra ni al novelista ("unhampered by knowledge" podría decirse) vuelven a crear la obra de acuerdo con sus propios criterios y prejuicios, viendo la obra desde lejos (endosando por lo visto el adagio que "no hay libros —sólo hay lectores"), Caballero Calderón se confiesa francamente asombrado: "No entiendo lo que dicen de mis obras o de mí". Goethe —de paso sea dicho — está menos diplomático, al censurar al crítico que se llena la panza con apetito voraz en la casa del escritor para quejarse después, en casa del vecino, de la calidad de la comida.

[17] *Hispanoamérica en su nueva literatura* (Santander: La Isla de los Ratones, 1962).

[18] John S. Brushwood, *The Spanish-American Novel: A Twentieth-Century Survey* (Austin: Univ. of Texas Press, 1975), pág. 189.

[19] Concepto citado por Curcio Altamar en *Evolución...*, pág. 260.

Las climácticas palabras goetheanas merecen cita en la versión original: "Schlagt ihn tot den Hund: er ist ein Recensent", lo cual quiere decir, en traducción algo pálida (Croce lo calificaría de "traición"): "Que maten al sinvergüenza. Es crítico".[20] Subrayando la función central del personaje como individuo reconoce Caballero Calderón que "A mí Siervo me interesaba no como ente político sino como ser humano", y continúa con una definición que no deja la más mínima duda en cuanto a este detalle clave de su credo literario a lo largo de su carrera de novelista: "La persona que me interesó (como ser humano) un momento fue creciendo dentro de mí, se fue convirtiendo en mi amigo y yo en su confidente, y lo puse a caminar en esas páginas".[21]

El protagonista de *El buen salvaje*[22] es otra persona que le interesa, otro amigo en busca de confidente. La obra cuyo Nadal provoca las etcéteras debatibles del *Mirador* de Barcelona perpleja y obsesiona a la vez. Perpleja porque se salta de las categorías que enjaulan —luce ecos humanos, literarios, sociológicos, junta autobiografía, novela y ensayo; obsesiona por su geografía y por su humanidad. Evidentemente al autor le fascina el pícaro parásito que atambolea de bistrot en bistrot tomando notas para su magnum opus abortivo y tomando tragos en cantidades cuyo cálculo e identificación sería tarea casi digna de tesis doctoral. La pregunta obsesionante "¿Qué es París?" surge como leitmotif. Huelga subrayar la perogrullada de que Francia siempre ha sido, y sigue siendo, "tierra de promisión" para los literatos de Latinoamérica. Lizardi se inspira en Rousseau, Blest Gana en Balzac y Stendhal, Isaacs en Chateaubriand y Bernardin Saint-Pierre; Asturias, Neruda y Uslar Pietri formulan bellas páginas americanas desde la Ciudad Luz y Darío exclama con candor: "Mi esposa es de mi tierra, mi querida de París". Lo que es Italia para Goethe, es Francia para Latinoamérica. Para el protagonista de Caballero Calderón la Ciudad Luz se convierte en vorágine, pesadilla hipnotizante, enfermedad que enloquece y asfixia. Nada de con-

---

20 "Recensent", *Goethes Werke* (Leipzig: Verlag des bibliographischen Instituts, sin fecha), II, págs. 232-233.

21 Conferencia publicada en *Tropos 3, No. 1 (1973), págs. 32-42.*

22 *El buen salvaje* (Barcelona: Destino, 1966). Mis citas provienen de esta edición.

quistas de Eugène Rastignac *(Le Père Goriot)* ni de Julien Sorel *(Le Rouge et le Noir);* el anti-héroe de Caballero Calderón sucumbe bajo el impacto del medio ambiente. La tesis conocida de que "el paisaje es un devorador de escritores hispanoamericanos" (pág. 84) trae a la memoria obras tales como *Doña Bárbara, Canaima* y *La vorágine* donde el paisaje asfixia al indiviuo. En *El buen salvaje,* novela cosmopolita si la hay, París devora al joven tan inexorablemente como el tremedal devora a Lorenzo Barquero y la "cárcel verde" devora a Arturo Cova. "Esta tierra no perdona" porque la constitución sicológica del personaje no lo permite.

Por lo visto entre los seis ensayos novelísticos nunca terminados por el novelista frustado, en la novela premiada, figura otro individuo que le interesa al autor como ser humano y que se convierte en su amigo y él en su confidente. El resultado es la publicación de la novela *Caín* en 1969. Merece mención que el más reciente Premio Nadal fue ganado por Manuel Vicent el 6 de enero de 1987 con su novela *Balada de Caín* que tiene como protagonista al personaje bíblico cuya "peripecia de ser errante por el desierto se prolonga hasta un Nueva York contemporáneo, en el que Caín es saxofonista".[23]

Vargas Llosa se plantea una pregunta fundamental que penetra a la esencia del filósofo y del creador literario: "¿La sociedad es la reina o el individuo es el rey?"[24] La respuesta de Caballero Calderón me parece evidente. El colaborador periodístico queda "atado a la temporalidad histórica" de acuerdo con la definición de Francisco Ayala[25]; el creador literario en cambio, en el momento de "ese orgasmo del acto creativo"[26] tiene como punto central la persona que "me interesa" (el personaje que busco) dotado de conflictos humanos y móviles universales. De nuevo se impone claramente el individuo porque para Caballero Calderón el alma colectiva, la masa se condena por la reacción ciega, el automatismo que acaba por deshumanizar al individuo. Una página del *Cristo* ilustra este punto: "Por qué gritas, le preguntó

[23] *El País* (Madrid, 7 enero 1987).

[24] "Prólogo a *Entre Sartre y Camus*", *Contra viento y marea* (Barcelona: Seix Barral 1983), pág. 14.

[25] "La literatura del periodismo", *El País,* (17 enero 1987).

[26] Conferencia en *Tropos* (véase nota 21).

exasperado a un indio... Yo no sé, sumercé,... todos están gritando'' (pág. 98), lo cual corrobora una vez más el valor esencial que el escritor atribuye al individuo en contraste con la muchedumbre y el pueblo (que) son ''esencialmente infantiles''.[27]

En acción de justicia y de equilibrio crítico, las etcéteras del *Mirador* exigen la identificación al nivel del creador literario.

---

[27] *El nuevo príncipe* (Madrid: Editorial Revista de Occidente, 1969), pág. 25.

LA FUNCION ICONOCLASTA DEL LENGUAJE COLOQUIAL EN LA POESIA DE MARIA MERCEDES CARRANZA Y ANABEL TORRES

James J. Alstrum
Illinois State University

Es bien sabido que el lenguaje constituye la quintaesencia de cualquier poesía y quizás por eso el erudito mexicano Alfonso Reyes (1889-1959) aseveró una vez que "la poesía intenta crear un lenguaje dentro del lenguaje. En este sentido, la poesía es un combate contra el lenguaje".[1] Tales observaciones acerca de la poesía me parecen especialmente aptas al examinar el manejo del lenguaje dentro de los textos poéticos escritos por las colombianas María Mercedes Carranza (1945) y Anabel Torres (1948). A ellas les ha tocado luchar con el lenguaje en pos de la igualdad dentro de una tradición lírica bastante cerrada que ha sido predominantemente masculina a consecuencia de las costumbres y los prejuicios de una sociedad netamente patriarcal. Ambas han empleado las palabras como armas letales de sátira para combatir las nociones erróneas de que su otredad implica necesariamente inferioridad en su papel doble de artistas y entes sociales. Comparten con otros poetas coetáneos cierto desencanto ante las circunstancias actuales del medio ambiente social en que tienen que vivir, trabajar, y escribir durante sus momentos contados de ocio.[2] No obstante, su lenguaje expresa una profunda conciencia de que sus frustaciones artísticas y personales no se deben a su identidad se-

---

[1] "Apolo o de la literatura" en *Antología,* 2ª ed. (México: Fondo de Cultura Económica, 1965), 46.

[2] Harold Alvarado Tenorio, "Una generación desencantada: Los poetas de los años setenta", *El Espectador —Magazín Dominical,* 25 noviembre y 2 diciembre 1984, 14-16 y 9-11. Cf. Harold Alvarado Tenorio, comp. *Una generación desencantada* (Bogotá: Universidad Nacional, 1985). Nótese que Alvarado menciona e incluye siempre a María Mercedes Carranza en el grupo de "los desencantados" al cual él mismo pertenece también pero nunca se refiere a la poesía de Anabel Torres como parte de esta promoción.

xual sino más bien a los parámetros restringentes sobre sus poderes creadores que les han sido impuestas por la crítica y la tradición poética nacional. Se mofan de los papeles y de las etiquetas que la sociedad patriarcal les ha asignado en la vida socio-cultural del país sin dejar de buscar y poner en alto su femeninidad. Lanzan sus dardos agridulces precisamente contra aquellos vocablos, lugares comunes y clisés con los cuales una sociedad de hegemonía varonil pretende ocultar o justificar un prejuicio totalizante que ha logrado dejar como su único legado la marginalización, el menosprecio, y el malogro de la inteligencia femenina.

A base de los títulos de sus únicos libros publicados hasta ahora, Helena Araújo se refirió a la obra poética de María Mercedes Carranza como la de "las vainas y el miedo". Araújo acertó en gran medida cuando señaló que en la poesía de Carranza hay un alejamiento intencionado de los tópicos y todo lo considerado tradicionalmente como femenino. Es decir, "el tono emocionado, la postura mística", y el "aire sentencioso".[3] La misma poeta quien detesta ser llamada "poetisa" me ha contado que su meta artística ha sido desde el comienzo de su labor poética la de escribir poemas que rompen con las corrientes usuales y los códigos típicos de la expresión poética colombiana.[4] En esta tradición las mujeres han brillado por su ausencia como creadoras tomadas muy en serio aunque han inspirado mucho del estro colombiano. En su caso particular, Carranza se ha escapado de la sombra de su propio padre Eduardo con una poesía que sin lugar a dudas no es canto para ser declamado sino versos prosaicos de estirpe narrativa en que se destacan los giros coloquiales, la ironía de un desenlace sorpresivo, y un tono nada sumiso ni dulce. El título de su primer libro (*Vainas,* 1972), como ha observado Araújo, proviene del lenguaje coloquial y connota molestias e irritaciones.[5] No cabe la menor duda que sus versos irritan y les molestan seguramente a los lectores que deben sentirse incómodos cuando penetran su aparente jocosidad y se reconocen en la denuncia de la ineptitud e insensibilidad masculinas. Dada la etimología de la palabra vaina que tal vez se ignore por su uso fre-

---

[3] "Algunas post-nadaístas", *Revista Iberoamericana* 128-129 (1985), 822.
[4] María Mercedes Carranza, entrevista personal, 24 junio 1984.
[5] Araújo, 822.

cuente todos los días en el léxico conversacional de los colombianos, se sugiere además un tono desafiante en el cual la visión típica de una mujer vulnerable e indefensa sin un hombre a su alrededor, se transforma en un arma potente de burla desmitificadora.[6]

El poema inicial de *Vainas* llamado "Con usted y todos los demas", establece el tono general del libro entero y marca el comienzo de un proceso de elaboración poética en la cual Carranza reclama para sí misma el lugar debido dentro del parnaso nacional y pone de manifiesto su identidad única caracterizada por una fuerza certera en la elección de palabras con doble sentido que dan al blanco de su sátira. Las primeras palabras del sobredicho poema ("Tal vez o nunca") inician una protesta contra la patria boba creada por los hombres después de haber abandonado a su suerte a la Pola Salavarrieta, la famosa mártir de la lucha por la independencia nacional. El texto poético va precedido por un epígrafe muy irónico atribuído a Borges, (1899-1987) y empleado con tino por el estilo de Luis Carlos López (1879-1950).[7] El epígrafe anuncia: "... Otro cielo no esperes, ni otro infierno".[8] Partiendo del epígrafe y de la alusión a la Salavarrieta, la narradora poética enjuicia a los hombres colombianos al declarar:

> Tanta muerte por la Libertad
> y el Orden para terminar
>
> en una Patria Boba, hecha entre
> chiste

---

[6] Según la Academia Colombiana, vaina se define como "molestia, contrariedad, fastidio, accidente inesperado" y con el verbo *echar* significa "fastidiar, molestar, reprender". Véase "Vaina", *Breve diccionario de colombianismos*, Edición de 1975. Afuera de Colombia en el resto del mundo hispano, el significado usual de vaina es el de la envoltura o la funda en la cual se mete o se guarda una espada. Teniendo en cuenta además el hecho de que este vocablo es derivado de la palabra latina *vagina* y que el sentido connotativo de la espada como símbolo fálico puede estar insinuado en el contexto global de todo el libro de Carranza, su título es bastante acertado y audaz.

[7] Andrés Holguín, *Antología crítica de la poesía colombiana 1874-1974*, dos tomos (Bogotá: Biblioteca del Centenario del Banco de Colombia, 1974) V. 2, 303.

[8] María Mercedes Carranza, *Vainas y otros poemas* (Bogotá: s.p., 1972), S. pág.

y chanza y más que nada por Ud
(Vainas)

A lo largo del poema, la narradora repite la frase "por Ud" empleando el pronombre formal para acentuar más su distanciamiento irónico y ético-moral del país arcadio transformado en infierno por los herederos de aquellos "ilustres varones" que tanto alabó Juan de Castellanos (1522-1607) en su larguísimo poema épico sobre la conquista de una tierra virgen y prometida.[9] Igual que la Pola Salavarrieta, quien en los primeros versos "tose, lagrimea, en resumen se asfixia" entre las paredes, aparece al final del poema una loca acorralada por los hombres. Esta loca "habla sola" y "se golpea / contra las tapias" mientras que los hombres prefieren hablar de "la cosecha de melocotones en Singapur" en vez de enfrentar los verdaderos problemas del país. El antipoema censura el egocentrismo varonil más la negación de responsabilidad por la miseria en que vive el país aunque el hombre "protesta porque Colombia está / contra la pared". "Con Ud y todos los demás" insinúa que este país controlado por los hombres tendrá la espalda contra la pared hasta que les permita a las colombianas salir de su encierro y silencio murales.

Un tema recurrente en *Vainas* es una obsesión con la palabra directa y punzante que sirve para desenmascarar el eufemismo empleado por poetas que han sido a menudo políticos y curas para tapar de vista las verdaderas realidades sociales que afligen por igual a hombres y mujeres colombianos. En un poema llamado "Métale cabeza", se contrapone un lenguaje áspero y vulgar a la eufonía suave de la rima infantil para poner en claro que tanto los niños como las niñas tendrán que hacer frente a la misma realidad dura y llamarla por su verdadero nombre:

Cuando me paro a contemplar
su estado y miro su cara
sucia, pegochenta,
pienso, Palabra, que
ya es tiempo de que no pierda
más la que tanto ha perdido. Si

---

[9] *Elegías de varones ilustres de Indias* (1589) es el título completo del poema más extenso escrito en español.

es cierto que alguien
dijo hágase
la Palabra y usted se hizo
mentirosa, puta, terca, es hora
de que se quite su maquillaje y
empiece a nombrar, no lo que es
de Dios ni lo que es
del César, sino lo que es nuestro
cada día. Hágase mortal
a cada paso, deje las rimas
y solfeos, gorgoritos y
gorjeos, melindres, embadurnes
y
barnices y oiga atenta
esta canción: los pollitos dicen
píopío cuando tienen
hambre, cuando tienen frío.
(Vainas)

El poema parodia irreverentemente la Palabra en mayúscula que se halla en los textos de la otrora santa poesía o de la Sagrada Escritura a la vez que enseña que la verdadera primacia de la palabra es la que no fue inventada por los hombres sino la que se oye por primera vez en la infancia cantada por las madres, las criadas, y las maestras de escuela.

La tensión dinámica mantenida en cada poema de *Vainas* surge de la rabia y frustración sentidas por la mujer que se acostumbra a callar y llevarlas para sus adentros mientras finge estar contenta con las imágenes idílicas y frases hechas creadas por la sociedad patriarcal para describir su figura y circunscribir su identidad dentro de una camisa de fuerza retórica. Por ejemplo, tal tensión se ve en el epigrama titulado ''Quien lo creyera'' cada vez que se reitera el verso ''crece una bestia por dentro''. El epigrama presenta el choque síquico entre el sentimiento reprimido y los límites impuestos por el decoro civil sobre la libertad expresiva de la dama. Por consiguiente, ''las garras'' de la mujer se tornan ''en unas rosadas y manos muy suaves'' y su voz indignada resulta sonando como si fuera ''un gemido''. Como señala el epigrama, aun si le hubieran dado a la mujer la oportunidad de quejarse, ''diría encantada de conocerlo o cosas por el estilo''.

Entre los muchos poemas de *Vainas* que repiten el tema común de la hipocresía vista como la única ley de supervivencia social para la mujer respetable de la buena sociedad burguesa, se destaca el poema titulado "Jugando a las escondidas". He de citarlo por completo para que podamos apreciar plenamente su impacto acumulativo de fuerza irónica sobre la conciencia del lector-oyente:

"Tengo que pensar que todo lo
que me sucede es mi vida".
Mónica Viti

Al comienzo la llorarán mucho.
Habrá novena, misas cantadas
con diáconos y cuatro curas.
El luto adornará a los parientes
que entre lágrimas verán su vida
como una hazaña.
Será gran señora, incomparable
esposa,
dilecta amiga, pozo de gracia,
de virtudes y dones.
El vacío que dejará en la sociedad
no podrá llenarse aunque lo intenten.
Se conservarán igual que reliquias
cadejos de pelo.
Y hasta habrá manos
que echen de menos otras
manos.
Con los años será la abuela
que hay que pasar a un osario
y luego la foto en cualquier rincón de la casa
que nadie sino de lejos sabe
a quien retrata. Finalmente nada.

Todo el poema, desde el epígrafe atribuído a una cineasta italiana ya casi olvidada hasta el verso final, recurre al lenguaje panegírico convencional para hacer hincapie en el papel pasivo desempeñado por la mujer en la sociedad. Aquí el lenguaje juega un papel subversivo dentro del marco del poema dotándole con un carácter anti-elegíaco al desencadenar una serie de imágenes cursiles apropiadas para cualquier dama respetable que conoce bien su lugar apropiado de trastienda, y cumple a la perfección todas las funciones consagradas en los ojos de la sociedad patriarcal como novia casta, madre y esposa ejemplares, y abuela chocha. En el retrato poético de la matrona, Carranza logra poner de relieve que la vida femenina equivale a una condena a la cadena perpetua acompañada por el elogio pasajero y el olvido asegurado.

En su otro libro llamado *Tengo miedo* (1983), Carranza enriquece más sus versos escuetos y amplía su temática con mayor recurso a la narratividad y la intertextualidad que caracterizan la mayor parte de la actual poesía latinoamericana.[10] La primera parte de su último libro se llama "La luz del deseo" y se dedica al tema erótico dentro de un marco iniciado y encerrado por dos poemas muy distintos que sin embargo llevan el mismo título sencillo de "Poema de amor". La visión dada del amor se puede describir como explícitamente iconoclasta y desprovista de cualquier encanto sentimental. En el primer "Poema de amor" el acto conyugal aparece como un puro rito simbiótico. En el justo momento cuando la narradora empieza a gozar de máximo placer descrito como la caída sin tocar fondo de Alicia en la Tierra de las Maravillas, el amante zonzo rompe el espejo ilusorio de éxtasis eterno con el comentario poco oportuno "Qué bien lo hemos pasado, mi amor".[11] En otro poema, "Historia universal de las camelias", se repite la triste historia de una larga lista de mujeres desfloradas, quienes, iguales que Margarita Gauthier en el drama de Dumas —hijo (1824-1895), sacrifican su felicidad para complacer un hombre que teme el escándalo social. En "Patas arriba con la vida", uno de los últimos poemas del libro, la narradora poética lamenta admitir que todo lo que ha hecho a través de su vida ha sido lo que más temía: repetir el círculo vicioso de conformismo femenino al asumir todos los papeles previstos de ser

---

[10] Pedro Lastra, "Notas sobre la poesía hispanoamericana actual", *Inti* 18-19 (1983-1984), 9-17.

[11] *Tengo miedo* (Bogotá: Oveja Negra, 1983), 7. Citaré solamente de esta edición con las páginas anotadas entre paréntesis en el texto.

"madre, cuidadana/, hija de familia, amiga/, compañera, amante". Es decir que se da cuenta que ha creído en "el engaño" de sentirse liberada cuando a fin de cuentas:

> María Mercedes debe nacer,
> crecer, reproducirse y morir
> y en ésas estoy.
> Soy un dechado del siglo XX.
> (65-66)

A primera vista, porque la poesía de Anabel Torres parece exudar emotividad espontánea, es fácil creer que es anacrónica y cabe dentro del estilo sensiblero de la poesía calificada tradicionalmente con menosprecio como femenina y por consiguiente de un interés marginal. Sin embargo, en este "garabatear cosas blandas" como la califica Araújo, esta escritura lúdica de Torres proclama la idiosincrasia personal como base de una auto-afirmación individual y la celebración de una identidad segura de sí misma y orgullosa de su auto-suficiencia desolada.[12] Hasta ahora, Torres ha sido mucho más prolífica que Carranza y entre los tres libros que ha publicado, dos le han valido premios en concursos literarios. La voz poética en la mayoría de los poemas de Torres tiende hacia un tono confesional y autobiográfico y suele estar menos alejada del asunto tratado dentro del marco del texto poético. Por eso, Torres dispone menos de la ironía que Carranza y corre el mayor riesgo de echar a perder la calidad formal del poema. Desde los versos iniciales de su primer libro premiado que se llama *Casi poesía* (1974), la voz poética hace alarde de su derecho a la autenticidad y no se deja limitar la libertad de expresión por apego a moldes convencionales ni temas ajenos a su propia experiencia vital. Así, en "Amo lo que es verdad" rechaza la imagen preconcebida de la mujer convencional: "Yo no quiero ser parte / de esta concupiscencia de virtudes".[13] Luego, en otro poema del mismo libro exhorta "por favor / no me enjaulen / déjenme ser un punto en el espacio" y expresa además una despreocupación por su apariencia cuando confiesa "hay días que amanezco / bo-

[12] Araújo, 826.
[13] *Casi poesía,* 2.ª ed. (Pasto: Universidad de Nariño, 1984), 1.

nita como un rayo delgadito / y otros que soy horrenda" (*Casi poesía,* 27). Cuando se refiere en sus versos escuetos al tema perenne de la belleza efímera evocada tantas veces con la imagen tan trajinada de la rosa, Torres desmitifica su idealizado valor simbólico con un mandato tajante:

> Es iluso
> el que cree
> que la rosa perdura
>
> Cínico
> aquel que sabe
> que la rosa marchita
> A mí no me vengan a hablarme
> de flores. (*Casi poesía,* 47)

En el segundo libro de Torres llamado *La mujer del esquimal* (1980), su lenguaje entremezcla ternura y amargura para expresar hondo resentimiento ante la soledad y el desamor acarreados por la frialdad insensible del hombre. En el poema "Gárgola de piedra", la voz poética se identifica con la figura grotesca de piedra inmóvil y resume metafóricamente la frustración que siente con una referencia al árbol, el arquetipo patriarcal por excelencia:

> La experiencia
> jirafa
> sin cuello,
>
> siempre estirándose,
> y nunca alcanzando
> las hojas de encima.[14]

En otro poema del sobredicho libro titulado "La literatura es inútil", se pone en duda el valor de las letras y la enseñanza para lograr cambios si el hombre guarda para sí mismo las armas de la violencia y aprovecha de su fuerza bruta para dominar la mujer:

---

[14] *La mujer del esquimal* (Medellín: Universidad de Antioquia, 1980), 40.

¿Por qué no nos enseñaron en
lugar de las
letras y los
lápices
a revolcarnos en la hierba?
A besar y a luchar cuerpo a cuerpo. (*La mujer del
esquimal,* 19)

Al final del poema, la indagación acerca del valor de la literatura termina con una moraleja sobria que no le queda otro remedio a la mujer sino amar la literatura como parte integral de su identidad femenina: ''amo los libros. / Soy un amador de libros. / No soy un hombre'' (*La mujer del esquimal,* 20).

En su libro más reciente, *Las bocas del amor* (1982), predomina el tema central de una frenética búsqueda erótica en que el deseo y el ansia de amor chocan con una realidad fija de desamor, abandono, o el amor prohibido de la querida. Varios poemas aluden al cuento de hadas y su visión irreal de la niña inocente y hermosa que se casa con el príncipe azul de sus sueños. Igual que en su libro anterior se contraponen imágenes de calor y frialdad como en los últimos versos del poema titular ''Las bocas del amor'' cuando la narradora poética confiesa que su libro corresponde más al deseo que a la experiencia real y de ahí surge una tensión constante:

Este libro que escribo
es un fraude:

Estoy callada
y espero.

Espero callada,
vida,
quiero tu lengua en mi boca.

Quiero las bocas del amor.

No quiero este cielo frío.[15]

---

[15] *Las bocas del amor* (Bogotá: Ediciones Arbol de Papel, 1982), 10.

En otros poemas del mismo libro Torres enjuicia el cuento de hadas recogido por los hermanos Grimm porque le inculca a la mujer la ilusión que no podrá vivir feliz y dichosa para siempre con un hombre si ella carece de belleza. Veamos el poema que lleva el título irónico "Demasiado Feliz:"

> Ustedes me enseñaron, hermanos Grimm,
> a delirar de belleza.
> ¿Por qué no me lo advirtieron nunca?
>
> Estar dispuesta
> no es suficiente.
>
> Morir no es suficiente. Ni siquiera vivir
> es suficiente.
>
> Hermanos Grimm,
> soy demasiado redonda.
> Demasiado feliz. Demasiado rosada.
>
> No quiero
> seguir mostrando
> este dedo tramposo y huesudo
>
> através de los barrotes. (*Las bocas del amor,* 12)

En el sobredicho poema, la alusión al cuento de Hansel y Gretel señala que cuando los papeles convencionales del hombre y la mujer se han invertido, es la mujer que le salva la vida al hombre cuando lo saca de un horno infernal de su propia invención.

En "No nos abandones", un poema extenso que aparece al final de su último libro, Torres suplanta el paternoster cristiano substituyendo al Dios Padre todopoderoso por la Poesía, una diosa maternal a quien le ruega la poeta para que pueda ser siempre portavoz del amor y la ternura y le ampare contra el mal en el mundo circundante. El poema representa a su vez una parodia de la oración católica a la Virgen María conocida como "Ave, María".[16]

---

[16] Sobre este particular, le agradezco la observación acertada de la Profesora Teresa Rozo-Moorhouse.

Poesía
Blanca Nieves
de mis palabras enanas
recíbeme en la cuenca de tu amo.

Ruega por nosotros, madre nuestra,
para que nunca podamos decir
esto dejé, esto abandono sin remedio.

Sino más bien
esto quise,

esto soñé, yo inmortal,
que me agarraba a la vida. (*Las bocas del amor,* 70-71)

Tanto María Mercedes Carranza como Anabel Torres usan el lenguaje coloquial para abrirse un espacio de igualdad dentro de la tradición lírica que ostenta su sociedad patriarcal. Sus armas de combate son palabras vedadas antes del registro del "bello decir" requerido por la poesía colombiana que era producto de un patrimonio cultural casi exclusivamente masculino. Por un lado, el discurso poético de Carranza sirve para desmentir los prejuicios de la crítica tradicional sobre el supuesto tono emotivo que significaba el discurrir lírico femenino.

Por su parte, Anabel Torres subraya también en su poesía la hipocresía de la sociedad patriarcal al exponer sus contradicciones. Ninguna de las dos trata de emular al vate ni quieren seguir su paradigma lírico aunque lo parodian. Su combate contra el lenguaje poético establecido hace bastante tiempo en Colombia se lleva a cabo echándoles en cara a los colombianos sus propias palabras y necedades verbales a la vez que buscan su propio lenguaje sin que sea demasiado grandilocuente ni exclusivamente apropiable por su sexo para dominar al otro. Aunque el crítico de todos los ámbitos se ha acostumbrado a acusar la poeta de ser demasiado sujetiva e irrazonable, ¿qué podemos decir entonces si Andrés Holguín en su antología de *Cien años de labor poética en Colombia,* concluyó que su única nota distintiva fue "su intenso sujetivismo?"[17] Son por eso igualmente aplicables los ver-

[17] Holguín, V. 2, 343.

sos que Sor Juana Ines de la Cruz (1648-1694), la compatriota barroca de Alfonso Reyes, dirigió contra los hombres de su tiempo, al examinar la actual lírica colombiana:

> Hombres necios que acusáis
> a la mujer sin razón,
> sin ver que sois la ocasión
> de lo mismo que culpáis.

TIEMPO, VIDA Y MUERTE EN LA POESIA DE JOSE ASUNCION SILVA

Rafael Escandón
Pacific Union College

José Asunción Silva, "el poeta más delicado y profundo de los líricos americanos", como lo considerara Juan Valera, tuvo tal obsesión por el tiempo, que al procurar descifrar los misterios del pasado y los enigmas del futuro a través de su vena poética, en el tiempo se perdió.

Este insigne poeta colombiano, que se conoce en los canales de la literatura hispanoamericana como uno de los iniciadores del movimiento Modernista, recurre al tiempo como uno de los temas favoritos de su pluma, y se detiene a filosofar sobre las facetas principales en la vida del hombre; es decir, la cuna, la infancia, la adultez, la muerte y el más allá.

Silva era un poeta precoz. Influido por la poesía de Bécquer, a los diez años ya estaba componiendo versos de gran envergadura, como "Primera comunión", "Crisálidas" y otros más. En su adolescencia tuvo la oportunidad de viajar por Europa, radicándose en París, "La ciudad luz", aquel centro de la intelectualidad, donde simbolistas y parnasianos revolucionaban el mundo de las letras con poemas pictóricos y musicales que se profundizaban hasta las más intensas fibras del alma.

Cuando regresó de nuevo a Bogotá, llegó Silva completamente transformado; su estado anímico había cambiado por el espíritu del siglo. Traía en su equipaje libros de autores franceses e ingleses, pues conocía bien esas dos lenguas. Llegó influido por esa literatura que había sublimado su vida. Vino enfermo. Traía consigo *el mal del siglo*. "En el momento en que, aprendido de Rimbaud el arte de la frase en que hay más sugerencias que palabras, de Verlaine la impresión vaga por medio de notas esquerzadas, de D'Annunzio la fiebre pasional envuelta en seda, de Poe las voces que vienen de ultratumba, y del poeta loco de 'Las flores del mal' el sortilegio enervante de los aromas —recorre insomme todas las gamas del pensamiento y del sentir, interroga al cielo y a la tierra con preguntas angustiosas, pide a la voz de los difuntos le llamen hacia la 'gélida negrura', se siente enfermo del mal horrible de pensar, y encuentra, con los ojos humedecidos por las lágrimas, que la única paz posible es la del sueño sin ensueños..."[1]

Con excepción de un reducido círculo de amigos, nadie, en su país, había descubierto su genialidad poética. En Bogotá, la gente no lo entendía. Y hasta muchos llegaron a pensar que se hallaba enfermo de un 'dandismo' petulante, y por eso comenzaron a llamarle José Presunción Silva. Silva reconocía que su enfermedad se debía a un cultivo intelectual de refinada sutileza estética. Sus ideas descabelladas, y sus locas pretenciones de promover cierto universalismo, le granjearon enemigos en vez de seguidores.

Luego vinieron las tragedias: 1) la muerte de su padre don Ricardo Silva; 2) el colapso económico que se convirtió en la persecución de sus acreedores; 3) la muerte de su hermana Elvira, con quien mantenía los más estrechos vínculos espirituales; 4) la pérdida de los poemas que más quería cuando zozobró el barco que lo traía de Venezuela.

Silva sabía que su mal no se curaba con facilidad. Por eso se mantenía en una inquietud constante, en su pensar fustigante que lo intranquilizaba con ansiedad. Su alma se mostraba incapaz de soportar más embates del destino. Esa psicopatía la describió en un poema, que precisamente lleva ese nombre, y entre otras cosas dice:

> Pero el joven aquel es caso grave,
> Como conozco pocos,
> Más que cuantos nacieron piensa y sabe,
> Irá a pasar diez años con los locos,
> Y no se curará sino hasta el día
> En que duerma a sus anchas
> En una angosta sepultura fría,
> Lejos del mundo y de la vida loca,
> Entre un negro ataúd de cuatro planchas,
> Con un montón de tierra entre la boca.

---

[1] Nicolás Bayona Posada, *Panorama de la literatura colombiana,* págs. 99-100.

Ese joven era el poeta mismo; pero Silva no aguardó a pasar diez años con los locos. Una mañana, el 24 de mayo de 1896, lo encontraron muerto en su cama. La noche anterior le había pedido a un médico amigo suyo que le dibujara el corazón con un lápiz, y al día siguiente se suicidó. Cuando llegaron sus familiares lo hallaron con el corazón atravesado por las penas, por la incomprensión, por la falta de fe, y por un balazo. Se dice que cuando don Miguel Antonio Caro se enteró de la noticia, se limitó a exclamar: "Lo sabía".

La vida de Silva, y su obsesión por el tiempo y la muerte misma, repercutieron en sus poemas. Nicolás Bayona Posada, en su obra *Panorama de la literatura colombiana,* describe esta inquietud de la siguiente manera: "La colección de 'Gotas amargas', de modo particular, explica hasta con minucias insignificantes lo que entonces acontece en el alma del poeta: busca placeres en el acto carnal, y encuentra, cual Mallarmé, que la carne es triste; se entrega a la lectura, y los libros acaban por arrancarle toda la fe; se confía al estudio de las ciencias, y descubre que la ciencia no alcanza a salvarlo; se deja guiar por su idealismo, y Sancho Panza, ventripotente y bonachón, lo atropella con su brutalidad en todas partes; se finge regiones invulnerables a la vulgaridad ambiente, y ve con ojos asustados que Juan Lanas y el emperador de la China son lo mismo. En estas circunstancias, el disparo se explica aunque no se justifica".[2]

Guillermo Valencia, en su poema "Leyendo a Silva", describe su muerte de esta manera:

> Su muerte fue la muerte de una lánguida anémona,
> se evaporó su vida como la de Desdémona;
> ebrio del vino amargo con que el dolor embriaga
> y a los fulgores trémulos de un cirio que se apaga...
> ¡Así rindió su aliento, bajo un sitial de seda,
> el último nacido del viejo Cisne y Leda![3]

Silva murió incomprendido; murió porque no había remedio para su mal. Miguel de Unamuno dice que "murió de muer-

---

[2] Ibid, pág. 100.
[3] *Poemas de Guillermo Valencia*, pág. 3.

te, de tristeza, de ansiedad, de anhelo, de desencanto; murió tal vez para conocer cuanto antes el secreto de la muerte y de la vida... También murió de hambre. De hambre, sí; de hambre de saber sabiduría sustancial y eterna. Murió del mal del siglo, de un desaliento de la vida que en lo íntimo él arraigó, del mismo Werther, de Rolla, de Manfredo y de Leopardi''.[4]

El mismo había expresado este sentir de esta manera:

Un cansancio de todo, un absoluto
desprecio por lo humano... un incesante
renegar de lo vil de la existencia
digno de mi maestro Schopenhauer;
un malestar profundo que se aumenta
con todas las torturas del análisis.

Silva tenía hambre; hambre por conocer los misterios del infinito. Murió porque no quiso seguir su propio régimen: ''camine de mañanita; duerma largo, báñese; beba bien; coma bien; cuídese mucho''. El hambre agotó su vida. La ansiedad lo condujo a los antros del sepulcro.

Silva escribió poco; poco, porque lo mejor de su pluma se hundió en lo profundo del mar. Su obra, sin embargo, es variada. Hay madurez en sus escritos. Anderson Imbert asegura que ninguna antología estaría completa sin incluir el ''Nocturno'' del cual dice lo siguiente: ''Con una voz entrecortada en la que los silencios se sienten como escalofríos; con una especie de tartamudez poética, como si el poeta estuviera absorto ante una aparición sobrenatural y en su estupor, sólo acertara a mover los labios para contener el llanto, ese 'Nocturno' es una de las más altas expresiones líricas de la época; nueva en su timbre, en su tono, en su estructura musical, en su tema fatalmente elegíaco, en su rítmica imitación del sollozo''.[5]

Por otro lado, Max Herníquez Ureña dice: ''El Nocturno quedó consagrado como uno de los grandes gritos líricos de la poesía contemporánea, y alcanzó inusitada popularidad, a pesar de que era poesía para exquisitos''[6]; mientras Juan Ramón Jiménez ase-

---

[4] ''Prólogo'', *Poesías completas de J.A. Silva,* pág. 23

[5] Anderson Imbert, *Literatura hispanoamericana,* pág. 432.

[6] Max Henríquez Ureña, *Breve historia del modernismo,* pág. 135.

guraba que "es sin duda el poema más representativo del último romanticismo y el primer modernismo que se escribió en la América española. Funde dos tendencias o fases idealistas en un punto exacto, que coge lo mejor, más desnudo, más esencial de cada una, y deshecha de cada una lo sobrante".[7]

Silva es, por lo tanto uno de los poetas más excelsos de la literatura hispanoamericana, y el tema del tiempo se deja sentir a través de su poesía.

La infancia y la muerte

El amor a la infancia y la pasión por la muerte se entretejen en la poesia de Silva. Evoca la infancia con exquisita ternura y se detiene a contemplar aquellos años saturados de calma y de fulgor cuando se deleitaba leyendo cuentos de hadas y soñando en el misterio del tiempo. En uno de sus poemas, dijo:

> ¡Cómo es de santa tu inocencia pura,
> Cómo tus breves dichas transitorias,
> Cómo es de dulce en horas de amargura
> Dirigir al pasado la mirada
> Y evocar tus memorias!

Pero luego Silva se detiene a contemplar la infancia con cierta melancolía que hace temblar de emoción. Luego añade:

> Cuna y Sepulcro eterno de las cosas

De esta manera entrelaza la cuna con el sepulcro. Pareciera que llevara su infancia como ofrenda a la muerte. Pareciera como si al pasar por esa edad indecisa y ambigua en la cual sin ser ya un niño no es tampoco un hombre, porque su infancia, de la que tan dulces recuerdos evocan sus cantos, se prolonga en su edad madura. ¿Madura? Cortó la madurez al sentir acaso que le ahogaba el verdor; ese verdor que a veces el hombre procura despojar a toda costa.[8]

En Silva la cuna y la muerte tienen una relación estrecha, y el tiempo que media entre estas dos etapas constituye sólo eflu-

---

[7] *Antología de la poesía hispanoamericana: Colombia,* págs. 54-55.
[8] *Poesías completas de J.A. Silva,* pág. 21.

vio pasajero. Es por eso que a veces el vate se asoma con curiosidad a escrutar los misterios del eterno, y al lanzar un grito se sobrecoge con pavor cuando escucha repercutir el eco desde el infinito.

"Los Maderos de San Juan"

En este poema dibuja Silva el panorama del tiempo. Comenzando con una canción de cuna, de gran popularidad, expresa el sentimiento de una abuela que reflexiona profundamente sobre el porvenir del nieto, al cual mece con ternura, mientras se intranquiliza su alma.

> Mas cruza por su espíritu como un temor extraño
> Por lo que en lo futuro, de angustia y desengaño
> Los días ignorados del nieto guardarán.

Al evocar el poeta la fragancia de las cosas viejas, ofrece luego sugestiones místicas de esas aromas que se encuentran en las reminiscencias del pasado y el misterio inquietante de la eternidad.

> Las cosas viejas, tristes, desteñidas
> Sin voz y sin color, saben secretos
> De las épocas muertas, de las vidas
> Que ya nadie conserva en la memoria...

Para Silva, entre más remotos y sentimentales son los recuerdos, más dulces y sublimes relucen esas esperanzas perfumadas de ensueños.

Silva, sin lugar a dudas, se mantuvo obsesionado por la muerte; sabía que su condición, tal como la del pobre Juan de Dios de su poema, que "se curó para siempre con las cápsulas de plomo de un fusil", era incurable, porque su pesimismo lo había arrastrado hasta los antros de la desesperación y la demencia.

"Silva es el más alto representante del pesimismo contemporáneo de la poesía de habla española; y ya sabemos que la angustia del vivir y la inquietud del más allá, que se hermanan con 'el mal del siglo', se manifestaron en el Modernismo de manera constante en otros poetas, Rubén Darío y Julián del Casal. Pero en

Silva culmina su pesimismo que tiene hondura filosófica, y es el reflejo del movimiento de las ideas durante la segunda mitad del siglo XIX".[9]

"Día de difuntos"

En este poema existe un estrecho parentesco con "The Bells", las campanas de Edgar Allan Poe, con cuyo espíritu tenía el poeta bogotano una evidente afinidad, aunque en la metrificación se nota cierta diferencia; pero ambos son amantes del misterio, de la sombra y de la noche.

En este poema, Silva se detiene y reflexiona al escuchar el tañido de "las campanas plañideras que les hablan a los vivos de los muertos"; luego se introduce por un camino tétrico y sombrío que estremece el alma. En esta poesía se refleja la lobreguez de su pensamiento; "expresa el vacío del corazón del poeta, teniendo como fondo un ambiente nocturno y misterioso",[10] tal como lo hace Poe en su poema nocturnal.

El tiempo inquietó al poeta, que procuraba escrutar sus misterios a través de sus vestigios literarios. Cuando contemplaba el cielo tachonado de estrellas, se preguntaba:

> ¡Estrellas, luces pensativas!
> ¡Estrellas, pupilas inciertas!
> ¿Por qué os calláis si estáis vivas
> Y por qué alumbráis si estáis muertas?...

"Nocturno"

Silva evocó el pasado; aunque el tiempo a menudo borra los recuerdos. Sin embargo, a pesar del pesimismo que lo agobiaba, parecía que en su vida existía un rasgo de esperanza, aunque fuera en el más allá, en ese misterioso arcano que procuraba escrutar.

En su poema "Nocturno", el más sobresaliente de todos, ins-

[9] Max Henríquez Ureña, *Breve historia del modernismo,* pág. 155.
[10] F. Stimson, *Literatura de la América hispana*, pág. 284.

pirado por la muerte inesperada de su hermana querida, expone las inquietudes del alma, y se lanza al infinito bajo un panorama nocturnal, en donde su sombra se entrelaza con la sombra de su amada, formando una sombra larga, radiante de candor y de alegría, que sentía los espasmos de la inmortalidad.

> ¡Oh las sombras enlazadas!
> ¡Oh las sombras que se buscan y se juntan en las
> noches de tristeza y de lágrimas!

"Nocturno" describe una vez más su obsesión por la muerte; es la muerte el único recurso evidente para escrutar el misterio de la vida, de la muerte misma y de la eternidad.

El tiempo y la muerte fueron las notas significativas de la mayoría de sus cantos; sus otros poemas son apenas efluvios del destino humano. Silva, como dijera Miguel de Unamuno, pasó el tiempo soñando, sufriendo, amando, cantando y tal vez meditando en el misterio del tiempo. "Porque el misterio da vida a los mejores de sus cantos, y persiguiendo el misterio se cansó del camino de la tierra. Persiguiendo el misterio y tratando de encerrar en sus estrofas las pálidas cosas que sonríen, de aprisionar en el verso los fantasmas grises según iba pasando, como nos lo dice él mismo. Fue una vida de soñador y de poeta, y de Silva cabe decir que es el poeta puro, sin mezcla ni aleación de otra cosa. Y el mundo le rompió con el sueño la vida".[11]

José Asunción Silva, "el único de los modernistas con genio suficiente para discutir a Dario su centro dentro del Modernismo"[12], se detuvo a contemplar esos "cielos azulosos, infinitos y profundos", y el tiempo borró su vida.

---

[11] *Poesías completas de J.A. Silva*, págs. 22-23.

[12] O. Gómez Gil, *Historia crítica de la literatura hispanoamericana,* pág. 418.

BIBLIOGRAFIA

Anderson Imbert, Enrique. *Literatura hispanoamericana.* New York: Holt, Rinehart and Winston, 1970.

Antología de la poesía hispanoamericana: Colombia. Albareda: Editorial Clemares, 1957.

Bayona Posada, Nicolás. *Panorama de la literatura colombiana.* Bogotá: Camacho Roldán, 1947.

Gómez-Gil, O., *Historia crítica de la literatura hispanoamericana*. New York: Holt, Rinehart and Winston, 1968.

Henríquez Ureña, Max, *Breve historia del modernismo.* México: Fondo de Cultura Económica, 1954.

Poemas de Guillermo Valencia. Medellín, Colombia: Editorial Bedout, 1965.

Poesías completas de José Asunción Silva. Madrid: Aguilar, 1963.

Prosistas y poetas bogotanos. Bogotá: Ministerio de Educación, 1939.

Ríoseco, Arturo, *Nueva historia de la literatura iberoamericana*. Buenos Aires: Editorial Emecé, 1960.

Stimson, Frederick. *Literatura de la América hispana*. New York: Dodd, Mead and Co., 1971.

ENRIQUE BUENAVENTURA Y EL TEATRO COLOMBIANO

George Woodyard
The University of Kansas

Al final de *La historia de una bala de plata,* uno de los personajes comenta: "En la próxima entrega verán ustedes a las dictaduras que, como herencia de los marines, quedaron en el Caribe", y otro contesta: "Y verán también, cómo la lucha de los pueblos no se detiene".[1] Estos comentarios podrían servir de motivo a Buenaventura mismo respecto a su propia lucha por la autodeterminación de los pueblos americanos. Desde el comienzo se ha visto esta insistencia en su dramaturgia y en su labor en pro de un teatro colombiano, o americano, que refleje los ideales y la cultura del pueblo.

No hay duda que Enrique Buenaventura es una de las fuerzas dominantes del teatro latinoamericano contemporáneo. Para mí es un honor especial participar en esta sesión hoy, organizada alrededor de él como persona y del teatro que desde hace más de 30 años viene creando en Colombia. Nos honra aquí con su presencia, ya que su influencia se ha hecho sentir por toda la América Latina. Me corresponde hacer una breve exposición sobre algunos aspectos del papel que ha tenido dentro del teatro colombiano mismo. A mi ver, Buenaventura ha establecido la norma para el teatro colombiano contemporáneo.

Es considerado por sus contemporáneos como figura imprescindible del teatro colombiano contemporáneo. ¿Cómo llegó a ocupar esta posición Buenaventura? Comenzó haciendo teatro con los circos, los teatros carpas, lo que se llama "teatro rasca", que, según Buenaventura, "es el teatro que se hace con cierta urgencia comercial, pero que de todas maneras tampoco resulta comercial".

[1] Enrique Buenaventura. *Historia de una bala de plata* (La Habana: Casa de las Américas, 1980), p. 70.

Dejó sus estudios de arquitectura para trabajar con estos grupos. Cuenta que en un sólo día montaron *Dios se lo pague* del brasileño Joracy Camargo: "por supuesto nadie se sabía la letra; el apuntador era el que guiaba, el que dirigía y decía todo".[2]

Durante unos años Buenaventura recorrió la América Latina —Venezuela, Trinidad y Brasil donde dirigió el Teatro de Estudiante. Fue profundizando en la cultura y las tradiciones locales de los lugares donde hizo escala. En Brasil, por ejemplo, se empapó en la Macumba (candombe o candomblé) y todo lo que tiene que ver con los ritos, las supersticiones y las fuerzas populares. Coleccionó una gran diversidad de experiencias, que resultaron sumamente importantes para el desarrollo de su teatro posterior.

Tal vez el acontecimiento de más importancia en el desarrollo del teatro moderno en Colombia fue la intervención de Seki Sano, el famoso director japonés que estudió en Rusia con Stanislavski. Al llegar a las Américas (estuvo en México en los treinta), comenzó a trabajar con grupos locales para establecer los principios desarrollados en el Teatro de Arte de Moscú, o sea, la disciplina del autor que nos dio en Estados Unidos el famoso sistema de "method acting" en el Actors'Studio. Eduardo Gómez explica este fenómeno en Colombia como "la gran importancia del actor como co-creador, después del autor y del director, en el montaje de una obra, 'democratizando' internamente el funcionamiento del conjunto teatral".[3] Antes de Seki Sano, no existía precisamente un teatro colombiano orgánico, sino más bien grupos y autores que funcionaban por su propia cuenta como teatro derivado, remedando las formas europeas o norteamericanas. Los montajes de grupos teatrales en gira desde España o Estados Unidos tenían poco impacto en el desarrollo de una conciencia nacional. Por ende, la influencia de Seki Sano fue impactante cuando llegó en 1957, a pesar del poco tiempo que permaneció en Colombia antes de ser denunciado como "comunista" y expulsado del país. Sin embargo, dos directores al menos captaron

---

[2] Margarita Vidal, "Enrique Buenaventura, poeta, actor, músico y zanahorio", *El Espectador* (5 enero 1975), p. 10-A.

[3] Eduardo Gómez, "Notas sobre la iniciación del teatro moderno en Colombia", en *Materiales para una historia del teatro en Colombia*, Maida Watson Espener y Carlos José Reyes, eds. (Bogotá: Instituto Colombiano de Cultura, 1978), p. 360.

las ideas de Seki Sano: Bernardo Romero Lozano, director del teatro El Buho, y Enrique Buenaventura en la Escuela Departamental de Teatro de Cali (Gómez: 360).

La Escuela Departamental de Teatro funcionaba en Cali desde 1955 primero con un director español, Cayetano Luca de Tena. Llamaron a Enrique Buenaventura, en aquel momento en Chile, para dirigir este teatro que se convirtió en el Teatro Estudio de Cali (o sea, el TEC). Desde el comienzo el grupo se dedicó a la promoción y difusión del teatro mundial en una proporción asombrosa: los tempranos estrenos incluyen, por ejemplo, obras de Molière, Cervantes, Chejov, García Lorca y otros. Al mismo tiempo se venía elaborando una serie de obras nacionales, algunas inclusive de Buenaventura mismo. El aspecto fundamental en este desarrollo es la importancia del teatro de Brecht. Se ha indicado que "Buenaventura fue el primer divulgador, más o menos sistemático, de las teorías de Brecht en Colombia" (Gómez: 363). Para fines de la década y durante los años sesenta, se montaron una cantidad de obras de Brecht, con una influencia notable sobre otras formas de producción. Frente a esta ola creciente de montajes brechtianos, desapareció un incipiente teatro absurdista y escapista.

En los sesenta se coordinó el teatro universitario, que respondió a un consolidado movimiento laboral y a la Revolución Cubana. En la Universidad Nacional, así como en las Universidades del Valle, los Andes y Antioquia, el teatro sirvió como vehículo para un movimiento estudiantil politizado. En 1968 se celebró el primer festival de teatro universitario en Manizales, usando como sede principal la supermoderna sala Los Fundadores, con la participación de varias personas distinguidas —Jack Lang, Pablo Neruda, Miguel Angel Asturias. Las protestas políticas provocaron el cierre del festival después de cinco temporadas, pero se despertó un gran interés en el teatro colombiano que ayudó a fomentar y consolidar la base estructural del teatro. El Festival de Teatro Nuevo, auspiciado después de 1975 por Colcultura, tuvo igual importancia en promover el teatro nacional con un fuerte sentido de compromiso socio-político.

El teatro reciente de Colombia se relaciona particularmente con varios grupos activos, entre los cuales el TEC de Buenaventura ha estado siempre en la vanguardia. Ha tomado una posición de líder en toda la América Latina con sus técnicas brechtianas y una ideología izquierdista que le llevó a la creación colectiva y al desarrollo de una teoría teatral. Cuando el teatro universitario se hizo más ideológico y menos artístico, las fuerzas represivas dentro de las universidades provocaron la formación de la CCT (la Corporación Colombiana de Teatro) en 1969, un sindicato teatral que abarcó casi la totalidad de los cien grupos teatrales existentes en el país. En su mayor parte son grupos experimentales, no profesionales. Con un espíritu de solidaridad derivan sus fuerzas de sistemas colaborativos, faltando la ayuda gubernamental o comercial. Los grupos se forman y desaparecen, pero se mantiene el sentido de comunidad con algunos grupos nucleares, como por ejempo el TEC de Buenaventura, La Candelaria (antes la Casa de Cultura) de Santiago García y Patricia Ariza, El Local de Miguel Torres, La Mamá de Bogotá, establecida por Ellen Stewart en 1968 como sucursal de la sede original en Nueva York, el Teatro Popular de Bogotá (TPB) de Jorge Alí Triana (también 1968), que se unió en 1984 con El Alacrán de Carlos José Reyes.

La técnica de creación colectiva que apareció en Latinoamérica alrededor de 1968 cobró fuerza especial en Colombia y ayudó a dar coherencia a los elementos socio-políticos. El llamado "nuevo teatro" muchas veces dramatizó episodios históricos. La obra *I Took Panamá,* desarrollada por el TPB en 1974, se aprovechó del título en inglés para documentar el movimiento imperialista del Presidente Teddy Roosevelt tendiente a asegurar los derechos al canal. Hace más de doce años que La Candelaria estrenó *Guadalupe, años sin cuenta* que también se valió de un juego titular para enfocar los años de la violencia colombiana en la lucha guerrillera de los llanos que marcó la vida y la política colombianas. *Nosotros los comunes* del TEC igualmente representó esta lucha social de clases.

¿Qué se entiende por nuevo teatro? Buenaventura mismo ha indicado que la revolución industrial produjo cambios fundamentales en el teatro, distinguiendo entre los que conciben y los que ejecutan. Esto llevó al sistema del siglo XX en que llegó a predominar la función del director como coordinador de todos los elementos básicos de un montaje teatral. El gran aporte del movimiento experimental, por ejemplo, el Teatro Ulises de Salvador Novo y Xavier Villaurrutia en México, fue precisamente el control artístico y técnico que ejercía el director sobre los múltiples elementos de la producción. En ese sistema jerárquico, un autor escribe un texto que es manipulado por un director y los actores para el gusto (o disgusto) del público. El teatro popular reciente, por otro lado, supone una inversión de este sistema, cuando se anula la jerarquización en favor de un sistema más egalitario. El público llega a dominar por su intervención directa en el proceso de la creación, los actores asumen parte del control directorial, se suprime la importancia del director, y a veces incluso se suspende la función del autor en el sentido de que el grupo elabora su propio texto. Es un teatro basado esencialmente en principios revolucionarios, un teatro normalmente marxista en su ideología, un teatro dedicado a imponer un nuevo sistema de valores en oposición al teatro convencional, tradicional y aburguesado.

¿Y por qué se desarrolló tanto este teatro en Colombia? Fundamentalmente por la falta de textos y la necesidad de ir creando una dramaturgia que reflejara la realidad cotidiana de Colombia en aquella época. Buenaventura encabezó este ímpetu con el TEC, y otros grupos marcharon al son del mismo tambor. En su ensayo "Teatro y cultura", Buenaventura ha propuesto los objetivos del TEC: "No hacemos teatro de masas porque no consideramos el teatro un medio adecuado de información ni queremos informar de nada... Creemos que el objetivo del teatro no es aglutinar las masas en torno a unos cuantos propósitos mismos sino... plantear los propósitos mismos... a los hombres y mujeres que componen las masas, a fin de que lleguen a entender... Buscamos la comunicación, fundamentalmente, en la relación que se establece entre la pieza y el público".[4] En otras palabras, Buenaventura se da cuenta del poder limitado del teatro para provocar una revolución dentro de la sociedad, pero por un análisis sistemático de los efectos de la sociedad, del imperialismo, del consumismo se puede llegar a una comprensión del daño orgánico que impide el desarrollo del hombre.

La intención de Buenaventura no fue hacer un teatro comercial sino un teatro de denuncia sobre la situación colombiana. Ha puesto el enfoque en un teatro popular para concientizar las cla-

---

[4] Enrique Buenaventura, "Teatro y cultura", en *Materiales para una historia del teatro en Colombia,* Maida Watson Espener y Carlos José Reyes, eds. (Bogotá: Instituto Colombiano de Cultura, 1978), pp. 293-94.

ses medias sobre la realidad brutal que las rodea. A lo largo de su carrera dramática, Buenaventura ha escrito piezas teatrales que enfocan esta realidad americana, especialmente en las obras violentas que conforman *Los papeles del infierno.* En muchos sentidos su teatro es histórico-documental, como *La tragedia del Rey Cristophe* y mientras la pieza más conocida de Buenaventura, la famosa *A la diestra de Dios Padre,* se deriva de la tradición popular e incluso lleva el subtítulo de *mojiganga,* es posible ver aquí también esta preocupación constante por la realidad social. El modelo de Buenaventura inspiró piezas como *Soldados* en que Carlos José Reyes mostró la intensidad de la experiencia latinoamericana con una visión brutal desde un punto de vista documental.

Es verdad que Buenaventura ha hecho un aporte inmenso, no sólo al teatro colombiano sino también al teatro latinoamericano en general. En todas partes es respetado como hombre de gran talento, imaginación y creatividad, que ha inspirado cambios fundamentales en el teatro de su época. Sin embargo, hay notas disidentes. Le reconocen su "papel decisivo y protagónico, como iniciador del moderno movimiento teatral" y elogian *A la diestra de Dios Padre* como "una obra maestra y una de las más hermosas del teatro colombiano" —pero también han surgido comentarios adversos sobre su labor. Un crítico que protesta por la *quinta* versión de esta obra dice que Buenaventura "persiste en deformar, ampliar, atiborrar un trabajo ya realizado y con fortuna, en lugar de enriquecer su mundo teatro o —lo que resultaría más generoso— dar espacio a otros dramaturgos colombianos, que ni vivos ni muertos tienen mayores oportunidades de ver sus obras en escena, ni a nivel nacional y menos internacional".[5] Eduardo Márceles Daconte, logrado crítico colombiano, se sintió tan desconcertado con la pieza *La farsa de las equivocaciones* de Buenaventura que al reseñar la temporada teatral en 1984 dijo lo siguiente: "El Teatro Experimental de Cali —TEC— defraudó con una farsa equivocada que impulsó su director Enrique Buenaventura la cual dejó perplejos a sus numerosos admiradores que recuerdan con nostalgia mejores tiempos".[6]

---

[5] Fanny Buitrago, "A la diestra y a la siniestra", *Latin American Theatre Review,* 20/2 (Primavera 1987), (en prensa).

[6] Eduardo Márceles Daconte, "Futuro tentador", *Magazin dominical* Bogotá), 18 (1984).

Se han comentado mucho también las acciones de la CCT al boicotear el festival internacional de teatro en Manizales en 1984 y de nuevo en 1985 en protesta por las intervenciones de Colcultura y la política adopta en la organización del festival. Seguramente Buenaventura participó activamente en esta decisión, ejerciendo su punto de vista sobre el festival en vez de dejarlo abierto para los participantes de varias ideologías y posiciones culturales y artísticas.

Dejando de lado estas observaciones, queda bien claro que Enrique Buenaventura no sólo ha inspirado toda una generación de escritores y directores colombianos, sino que también ha servido de inspiración para un movimiento incipiente en toda la América Latina. Su posición en las historias del teatro latinoamericano, ya escritas o por escribir, permanece firme y sólida como impulsor de este movimiento contemporáneo. Tenemos una gran deuda con él.

BIBLIOGRAFIA

Buenaventura, Enrique. "De Stanislavski a Bertolt Brecht", *Conjunto 49* (julio-septiembre 1968), 136-141.

Historia de una bala de plata. La Habana: Casa de las Américas, 1980.

"La dramaturgia en el nuevo teatro", *Conjunto* 59 (enero-marzo 1984), 32-37.

Le maschere, il teatro: Tesi e testimonianza sul teatro superimentale colombiano. Milano: Feltrinelli Editore, 1979, p. 196.

González, Patricia. "El evangelio, la evangelización y el teatro: El nuevo teatro colombiano", *Conjunto* 61-62 (julio-septiembre 1986), 136-141.

González Cajiao, Fernando. *Historia del teatro en Colombia.* Bogotá: Instituto Colombiano de Cultura, 986.

Monleón José. "Entrevista a Enrique Buenaventura", *Primer Acto* 145 (junio 1972), 22-32.

TEATRO Y LITERATURA

Enrique Buenaventura
Teatro Experimental de Cali

Hace años, en un festival de Teatro, en Caracas, dije algo que causó polémica: ''El Teatro no es un género literario''. La afirmación, para ser bien honestos, no era mía. La habían hecho antes varios hombres de Teatro y la habían repetido, recientemente, semiólogos como Humberto Eco y Anne Ubersfeld. No era nuevo, pero los dramaturgos que estaban allí, y no la conocían, la tomaron como un ataque a la literatura dramática. Estaban prevenidos y tenían razón de estarlo. Ha habido tantos ataques al texto, al texto así, a secas, en tantas mal llamadas vanguardias, al texto e incluso a la palabra en el teatro, que la afirmación les resultaba sospechosa. Tuve que explicar que el teatro es una relación efímera entre actores y espectadores a través de una estructura espacio-temporal compuesta de varios lenguajes, ensayada generalmente por los primeros y representada por los segundos. El texto literario es uno de los lenguajes del teatro pero no es, como suele creerse dentro de una cierta tradición, ni el lenguaje fundamental ni mucho menos el que otorga sentido a los otros. La tradición a la cual me refiero no se remonta más allá del siglo XIX. Fue en este siglo cuando se dio la pelea por la supremacía del texto literario sobre los otros lenguajes en el teatro. Hoy esa pelea puede parecer superflua, y hasta divertida, pero, al menos en el teatro tradicional comercial o ''cultural'', es decir en la mayoría abrumadora de las instituciones teatrales, la supremacía del texto literario no se discute. De aquí surgirán dos preguntas:

1.ª ¿Por qué se da precisamente esta polémica en la cultura llamada occidental y en el siglo pasado?, y

2.ª ¿Por qué la supremacía del texto literario es aceptada como dogma en el teatro tradicional del siglo XX, llámese cultural o comercial, de modo que la puesta en escena viene a ser, precisamente, poner en escena un texto literario?

A la primera pregunta podríamos responder que, quizá, la desaparición de los modelos de puesta en escena tradicionales con la decadencia y desaparición a fines del XVII y a principios del XVIII de la Comedia Dell'Arte y con la aparición en la segunda mitad del siglo XVIII y primera del XIX de "los monstruos del escenario" o "capos cómicos", la participación de los actores y la cohesión del espectáculo como tal vinieron a debilitarse y a dispersarse de tal modo que el texto literario surgió como ordenador del todo teatral.

A la segunda podríamos responder que al parecer la práctica moderna de puesta en escena con un director, tal como funciona hoy, éste se convirtió en el intérprete de un texto a partir del cual elabora la concepción del espectáculo que, los actores, a su vez, deben interpretar. Hoy este proceso parece tan lógico que nadie pensaría que sus orígenes no se remontan más allá de las primeras décadas de este siglo.

Nada parecido vemos en otras culturas a la polémica sobre la supremacía del texto o la del espectáculo, porque, en ellas, las tradiciones teatrales, las tradiciones de los actores, se mantuvieron hasta que llegó la influencia occidental con las distintas formas de colonización.

Las ideas, pues, de que el teatro es la puesta en escena de un texto, por clara y obvia que nos parezca y aunque esté sancionada por la práctica tradicional, comercial y "cultural", puede ser la causa de la crisis profunda del teatro y del exiguo número de dramaturgos en el mundo de hoy, o al menos, una de las causas.

¿Y si el proceso de producción de un espectáculo teatral no es la puesta en escena de un texto, qué es entonces?

El proceso de producción de un espectáculo teatral es la relación entre varios textos sonoros y visuales. El texto literario escrito para el teatro es uno de esos textos. Existen, además, otros textos sonoros (musicales de carácter orgánico o de carácter aleatorio, amén de sonidos y ruidos). Los textos visuales, entre los cuales está el actor en cuanto ícono, están constituídos por el espacio, la escenografía, los objetos y las imágenes visuales. La naturaleza, la materia significante y por lo tanto la función simbólica de estos textos es distinta de las de los textos sonoros, como todo el mundo sabe. Postular que el proceso de producción del espectáculo es la puesta en escena del texto literario equivale a creer que los textos sonoros no verbales y los visuales reciben su sentido del texto literario, lo cual, en la práctica, es un imposible ya que estos textos (los sonoros no verbales y los visuales) producen, necesariamente, sentido. Es un imposible práctico y teórico pero, al convertirse en una ideología de la producción teatral, reduce al mínimo el sentido producido por esos textos, lo vuelve dependiente del sentido producido por el texto literario, quitándole o disminuyéndole su autonomía. En el caso aparentemente opuesto, en el caso de ciertas vanguardias, se da a la concepción del director la supremacía y, en general, los textos o lenguajes no verbales no adquieren un lugar privilegiado, quedando el texto literario como un pretexto en sentido literal y en sentido figurado.

El gran olvidado, en estas formas de producción del espectáculo, es el actor. En aquélla que ha sido llamada "la tiranía del texto" y en la que ha sido llamada "la tiranía del director" la servidumbre corresponde al actor. El actor ha sido condenado a la condición de intérprete, es decir, a la condición de alguien que expresa un sentido ajeno y aunque esto es, también, en sentido estricto, un imposible puesto que él no puede dejar de significar ni de pensar, en la práctica se le impide una participación creadora cuyas ventajas para la producción escénica son inconmensurables. En otros términos, se le impide una participación en la dramaturgia de vital importancia para ésta.

Pero, ¿de qué manera puede el actor participar en la dramaturgia si entendemos por dramaturgia el texto escrito por el autor?

Pues bien, es preciso ampliar ese concepto de dramaturgia, la dramaturgia debe ser vista de manera más dinámica, como el texto del espectáculo, compuesto de varios textos o lenguajes. Y debe ser vista así porque los textos literarios, escritos para el teatro, nacen de los espectáculos y se convierten en una forma de connotación de los mismos. Si esto es cierto —y trataremos de comprobarlo más adelante— la participación creadora del actor es una forma de dramaturgia, es aquello que hemos llamado en otros escritos "la dramaturgia del actor".

Pero, ¿es que el actor y el director están autorizados para cambiar hasta el texto del autor? Aunque a menudo se toman ellos ese derecho, con resultados, en general, muy dudosos, el problema de la participación dramatúrgica del actor no reside allí. Un texto de un autor es transformado *siempre,* aunque no se le cambie una coma. He oído decir, algunas veces, a gente de teatro: "Nosotros montamos Shakespeare tal cual es". Afirmación ingenua porque Shakespeare tal cual es no existe ni siquiera en Inglaterra, no sólo porque la Inglaterra isabelina ya no existe sino porque Shakespeare está vivo justamente porque se lo monta en nuevos contextos y de maneras muy diferentes. Esto de la fidelidad, como todos sabemos, es un falso problema. No sólo nadie puede montar a Shakespeare tal cual es sino que nadie puede leer a Cervantes tal cual es porque lo lee en un aquí y en un ahora del que Cervantes no podía tener noticia.

Afirmamos antes que los textos literarios escritos para el teatro nacen de los espectáculos y se convierten en una forma de connotación de los mismos. No se trata, necesariamente, de una relación inmediata de causa-efecto, es decir de que el autor escriba a partir de los espectáculos que ve. Se trata de que al escribir para el teatro tiene, obligatoriamente, en mente la representación y esa representación que tiene en mente reproduce, modifica o revoluciona un modelo predominante en ese contexto y en ese momento.

¿Y qué tendría todo esto que ver con aquello que hemos llamado la dramaturgia del actor?

La participación del actor en el proceso de puesta en escena, cuando es una participación creadora, programada dentro de la metodología de montaje, de modo que resulte orgánica y no episódica, de modo que no sea una concesión del director ni una manera de enriquecer la concepción de éste, de modo que constituya, por el contrario, una contradicción y la relación actor-director sea una oposición dialéctica, la participación del actor, vista así, desarrolla todas las posibilidades de los lenguajes sonoros no verbales y de los lenguajes visuales, y tiene posibilidades de engendrar un texto del espectáculo más rico, más cuestionador de la "calidad" convencional y académica. Estos textos del espectáculo, en los cuales cada uno de los textos —incluído, por supuesto, el literario— tienen su autonomía y se combinan unos con otros sin perder esa autonomía, constituyen una forma de dramaturgia generadora de la otra forma de dramaturgia, de la realizada por el autor.

Al haber reducido la producción del espectáculo a la puesta en escena de un texto y al haber despojado al actor de su participación creadora, las posibilidades que tiene el espectáculo de engendrar textos literarios para el teatro se han reducido. Por eso decíamos antes que esto puede ser una de las causas de la crisis del teatro y del exiguo número de dramaturgos en el mundo de hoy, al menos de dramaturgos de un cierto nivel. Lo que nosotros hemos llamado creación colectiva tiene que ver con este planteamiento, sólo que, sobre esta modalidad de creación colectiva ha habido más de un malentendido y más de una tergiversación.

Aunque a menudo la creación colectiva ha consistido en que los actores escriban el texto, ésa no es la base ni la función de la creación de la puesta en escena. El actor tiene su modo de escribir en el escenario: con el cuerpo, con el espacio, el ritmo, las imágenes, etc. Es el escritor, por excelencia, del texto de la puesta en escena. En discusiones no muy rigurosas se suele oponer lo colectivo a lo individual; semejante oposición, al menos en este terreno, no tiene sentido. La creación artística es absolutamente individual y el colectivo no sólo está compuesto de individuos sino que sus relaciones serán estériles a menos que los individuos desarrollen sus capacidades personales, afinen su sensibilidad y amplíen sus conocimientos. Jamás hemos propuesto la creación colectiva por razones de tipo sociológico. No se trata de introducir formas democráticas en el arte. En el arte, como en la ciencia, la democracia, los conceptos de mayoría y minoría, consenso, etc., no tienen significación alguna. Para nosotros la creación colectiva se sustenta en razones estrictamente estéticas o no se sustenta en absoluto.

A veces se cree que la solución para la dramaturgia consiste en que el autor y los actores trabajen juntos y se invoca el ejemplo de Shakespeare y de Molière. Nosotros mismos hemos hablado así en otras ocasiones. Nadie puede negar que un tal contubernio es beneficioso y enriquecedor para el teatro, pero no puede ser la "solución" porque no pasa de ser algo coyuntural.

La solución tiene que basarse en formas de producción del espectáculo que privilegia organizaciones como *el grupo.* ¿Por qué el grupo? Porque el grupo garantiza —al menos idealmente— una estabilidad y una continuidad de los integrantes, lo cual permite, a su vez, una reflexión sobre la propia práctica que garantiza la transformación y evita la rutina, que enfrenta al grupo con su público para evitar toda complicidad con éste y arrastrar los fracasos, viéndolos no como desastres sino como eventos cuestionadores, ricos en enseñanza. Si los integrantes son contratados para una producción y luego desaparecen, una reflexión de cierto rigor está excluída.

Bien sabemos, nosotros, que esta forma de funcionar (la del grupo) choca con los aparatos teatrales tradicionales comerciales o estatales, tanto en el contexto capitalista como en el socialista. No es fácil pelear por el grupo, por la creación colectiva, tal como nos la planteamos, pero estamos convencidos de que entre la creación del autor y la del actor hay que volver a establecer vínculos profundos y de que estos vínculos redundarán en beneficio de la dramaturgia y de los dramaturgos.

COLOMBIA: UN PAIS DE TELENOVELAS

Azriel Bibliowicz
Universidad Nacional y Universidad Externado de Colombia

La telenovela ha sufrido transformaciones en los últimos años en Colombia. Este tipo de programación que se consideró banal y trivial, ha adquirido un especial éxito en América Latina. Pienso concentrarme en el caso de la televisión colombiana, cuya situación no considero atípica con respecto al continente, ni de las producciones de este género.

Antes de hablar de las telenovelas, vale la pena recordar el nombre de Pedro Henríquez Ureña, quien en su ensayo sobre música popular en América distinguió los géneros de la cultura y el arte popular. Henríquez Ureña fue uno de los precursores en discernir entre lo que hoy llamamos: arte de masas y arte popular. Por lo general, se confunde el arte popular con el arte vulgar o de masas, como lo llamó este autor. Confieso que el término vulgar no es de mi total agrado, en cuanto incita una desconfianza a priori, y, sin embargo, también es cierto que estas producciones, hijas de la ciudad, la industria y el afán, no invitan sino a la sospecha. El arte vulgar o de masas viene a ser un anodino puerto en el río que fluye entre el arte popular y el arte culto.

Siempre es conveniente matizar y por ello se deben destacar las diferencias entre lo popular y lo vulgar o de masas. De acuerdo con Henríquez Ureña, el arte popular es de formas claras, de dibujo conciso, de ritmos espontáneos; mientras el arte vulgar, también capaz de algunos aciertos, cae por lo general en la redundancia, la repetición de imágenes, formas, referencias y el uso permanente de fórmulas.

La telenovela en Colombia sufrió cambios aparentes, por la relación que estableció con la literatura, y que nos obliga a distinguir entre dos tipos de telenovelas: la tradicional y la literaria. Los productos de la telenovela literaria son claros en advertir que sus versiones son "versiones libres" y en ocasiones parece que estuvieran comprando sólo el título de la obra o un apellido para la misma. Debido a ello, la telenovela literaria termina por ser una hija bastarda de la novela.

Pero, ¿cómo explicar el desarrollo de este tipo de producción? Por un lado, está la política del Estado colombiano con respecto a la televisión. Aquí sería necesario aclarar que en Colombia la T.V. le pertenece al Estado, pero éste le cede a unos particulares, por medio de un contrato llamado licitación, la producción de la misma. En otras palabras, la televisión en Colombia es un híbrido, en donde unas compañías programadoras la producen y la explotan, mientras que el Estado, el dueño de la misma, impone sus políticas. Si a ustedes les suena extraño y complicado, no tienen por qué preocuparse. La situación es confusa aún para los colombianos que vivimos bajo ella más de 20 años.

Frente a un Estado que define las políticas que se deben seguir, los programadores buscan vestir sus producciones con el traje de la cultura y el abrigo de la educación. Como también es el Estado quien reparte los espacios de la televisión cada 4 años, las empresas programadoras se ven forzadas, si desean continuar en el medio, a satisfacer los apetitos nacionalistas, culturales y educativos del gobierno de turno. La telenovela de empaque literario ha sido el producto ideal para estos propósitos.

También promueve su desarrollo su conversión en un producto de exportación. Por ejemplo, una telenovela basada en la obra del escritor peruano Mario Vargas Llosa, "La Tía Julia y el escribidor", se produjo en Colombia y fue protagonizada por la actiz Gloria María Ureta de origen peruano. Una estrategia por parte de la programadora que le permitió vender con facilidad la obra en el Perú.

Las programadoras también aprovechan el nombre que ganaron algunos escritores, como los del *boom,* en el mundo editorial. La fama es algo que siempre capitaliza la televisión. Además fomenta el desarrollo de este género el que la telenovela tradicional venga cargada de un halo femenino. Este tipo de producción, por lo general, vive en el nicho de las 11:30 a.m. y la 1:00 p.m. La audiencia a esta hora es femenina. Pero la telenovela de las 10:00 p.m., ubicada en el corazón de los tiempos preferenciales, cuenta con un auditorio familiar. Las programadoras descubrieron que la población masculina aceptaba con mayor facilidad y tranquilidad una telenovela tildada de literaria.

Estos son algunos de los ingredientes que explican por qué con los años se ha fomentado este coctel, que mezcla la literatura con la telenovela. Cuando hablo de la evolución del género, no quiero dar la impresión que la telenovela tradicional haya desaparecido, o deje de presentarse, sino que ahora estos dos estilos se dividen los tiempos. Sin embargo, como veremos, son dos caras de una misma moneda y cumplen la misma función comercial e ideológica para las programadoras.

La televisión es un buen negocio en Colombia y las telenovelas son el programa de mayor audiencia en el país. Por cierto, si existiera una televisión totalmente comercial, sin restricciones ni censuras, las ondas televisivas se verían inundadas por telenovelas. En la repartición de espacios que se llevá a cabo cada 4 años, si a una compañía se le adjudica una telenovela, se considera premiada.

Las telenovelas son tan exitosas que a cualquier hora que se transmitan aumentan la audiencia, de acuerdo con los sondeos de sintonía. Por ello, dicho tipo de producción se utiliza para colonizar nuevos tiempos. La telenovela prende televisores y los ejecutivos de la televisión colombiana saben que un horario malo mejora con una telenovela y una hora en que no se veía televisión se comenzará a ver, si solo se transmiten una de estas producciones.

En Colombia se presentan en la actualidad 29 horas semanales de telenovelas por los dos canales comerciales que dominan el espectro televisivo. Los empresarios del medio saben que la telenovela se convierte en la columna vertebral de la programadora. Aquellas compañías favorecidas con este tipo de producción rotan alrededor de ellas. Es el programa que puede sacar adelante la econonía de una empresa o hundirla. No es una casualidad que 15 de las 32 programadoras para la licitación que comienza este año solicitaron una telenovela.

Uno de los pocos programas de la televisión colombiana que se exporta es la telenovela. Esta afirmación es cierta para la mayoría de los países latinoamericanos. En Colombia se ven series realizadas en México, Venezuela, Brasil, Perú, Puerto Rico, etc. La producción de cada serie se financia en el país de origen. Cuando se venden, las entradas representan ganancias adicionales. Por lo tanto, toda telenovela extranjera es más barata que las producidas en el país. Así pues, el negocio de las telenovelas es similar al de las películas norteamericanas de televisión que invaden al mundo. Los mercados hispanos a pesar de su debilidad monetaria representan atractivos excedentes para los programadores colombianos. Además, día a día, como ustedes bien saben, crece un mercado de moneda fuerte y por ello muy atractivo: el de las ciudades norteamericanas con sus comunidades de puertorriqueños, colombianos, dominicanos, cubanos, peruanos, etc., para quienes las telenovelas guardan un encanto adicional: la nostalgia de lo que se veía en casa y del país que se dejó.

La importancia de la telenovela en el mundo de la televisión colombiana también se refleja en ser el programa que cambió la estructura del medio. Colombia entró a la era de la televisión a color gracias a las telenovelas. Cuando se empezó a producir esta programación para exportar a otros países, bajo el argumento por parte de las programadoras que estas producciones representarían divisas para Colombia, el Estado autorizó la creación de estudios. En Colombia la telenovela terminó con la televisión en blanco y negro y rompió el monopolio que mantenía el Estado sobre los estudios de televisión.

Con los nuevos estudios, fundados con el fin de producir telenovelas, se tecnificó y logró una eficacia e industrialización en las realizaciones. Nuevas tecnologías como los transistores y los apuntadores ayudaron a que las filmaciones fueran rápidas y eficientes. Los artistas, gracias al pequeño audífono, no necesitan aprender sus líneas. El aparatico escondido por medio del maquillaje o la peluca de turno, permite que desde la cabina el productor ordene qué cámara ha de tomar la escena, cuáles son las frases que debe pronunciar el actor, y en qué dirección le corresponde moverse a cada uno de ellos. El desarrollo electrónico facilitó la producción industrial. El productor o supervisor de esta fábrica cultural graba a diario los segmentos de 3 o 4 capítulos. Si la escena no termina perfecta, quedan muchas por producir. Las demoras sólo acarrean extender y retrasar la jornada de trabajo. Postergar la grabación afectaría los turnos del día siguiente. Cuando se fija el turno, es necesario respetar y grabar dentro de los tiempos establecidos. En el mundo de la televisión el tiempo es dinero.

Los costos de producción de una telenovela dependen de muchos factores: los sueldos de los artistas, número de cámaras utilizadas, si se produce en exteriores o sólo en interiores, número de sets, etc. Ahora bien, este tipo de realización arroja sustanciosas ganancias. Por lo tanto, también permite más inversiones. El costo promedio de producción de un capítulo de una telenovela literaria es de US$ 5.000 y el minuto de publicidad a las 10:00 pm. es de US$ 4.800. Durante cada media hora a las programadoras se les autoriza pautar hasta 5 minutos de publicidad. Por ser un programa diario, la telenovela representa ventajas comerciales para la programadora, lo que no se traduce en mejoras si pensamos en términos de calidad. El afán y la rapidez no son sinónimos de excelencia artística.

Las telenovelas, ya sean literarias o tradicionales, no se determinan por la extensión del texto literario o su contenido. Responden a un número fijo de capítulos determinados por razones externas al texto. En otras palabras, no corresponden a la historia sino a compromisos comerciales. Para el libretista como para la programadora la telenovela es una mercancía. Entre más capítulos se vendan mayor será su ganancia. Cuando las telenovelas gozan de éxito, se estiran agregándoles el mayor número de capítulos posibles. Cuando esto sucede los libretistas acuden a recursos que les facilita dilatar las producciones. Las fiestas, por ejemplo, son un mecanismo típico. En ellas se pierde todo el tiempo necesario, logrando así que la telenovela obtenga una mayor longevidad ya que se ha tornado en una gallina que comienza a poner huevos de oro.

En ''La mala yerba'' del escritor y periodista Juan Gossain, las fiestas ayudaron a que la obra incluyera 20 capítulos adicionales. En la telenovela ''El hijo de Ruth'', el truco consistió en copiar la idea desarrollada en la serie norteamericana ''Dallas'' (por cierto otra telenovela), pidiéndole al público que adivinara quién mató a la madre del protagonista.

La mayoría de las telenovelas tradicionales se construyen alrededor de una fórmula o historia que vemos repetir a menudo. El patrón persiste en telenovelas como: ''Simplemente María'', ''El derecho de nacer'', ''El hijo de Ruth'', ''Los ricos también lloran'', ''Gallito Ramírez'', ''Esmeralda'', ''Topacio'', ''Cristal'', todas esas joyitas que han llenado la pantalla chica. Y es el siguiente: una pobre pero linda muchacha del campo viene a la ciudad. Ella es hija ilegítima. Cuando llega a la ciudad es seducida y tienen un hijo ilegítimo (creo que los que conocen estas producciones reconocerán la historia de "Simplemente María" o "Volverás a mis brazos"). El seductor es joven y rico, y por cierto es también el dueño de la casa en donde trabaja la joven. El la quiere, pero no consigue casarse con ella. (Esta es la fórmula de "Natacha" y "Los ricos también lloran", una telenovela mejicana que hizo furor en Colombia). La protagonista estudia de noche y con grandes esfuerzos prospera. Al final descubre que era la heredera de una gran fortuna y que provenía de buena familia. Ahora se logra casar con el galán que la ha querido, a pesar de los mil y un infortunios que padecieron juntos. Ha sido un largo camino, pero el amor siempre sale triunfante al final. El camino, en verdad, alcanza a ser bien largo: en "Simplemente María" la joven protagonista llegó a ser bisabuela. La telenovela tuvo más de 400 capítulos.

Las variaciones sobre el tema son infinitas: La joven puede ser la heredera de una gran fortuna sin saberlo y acaba casada con un gitano quien también desconocía su origen aristocrático ("Renzo el gitano"). Otra variación clásica es la del hijo de una familia acaudalada, educado por una mucama negra y que se enamora de una prima sin saber que era su prima ("El derecho de nacer").

Los detalles importan poco. La estructura que subyace al fondo del argumento permanece igual. De ahí que estas telenovelas se resuman con una frase: Alégrate porque tu padre no es tu padre. Más o menos en la mitad de una telenovela, uno de los personajes le dice al otro con gran dramatismo y un whisky en la mano: "Te voy a contar la verdad: tu padre no es tu padre". La música surge de pronto creando un telón. La escena se interrumpe y aparece en la pantalla una joven que dice: "Juana, tus pisos siempre parecen sucios, a mí me pasaba lo mismo hasta que descubrí Ajax con el remolino chupamanchas". El televidente será sometido a un interludio de desodorantes, jabones y todo tipo de productos que le recuerden sus malos olores. Luego se retornará al hombre del whisky que continúa: "Te has criado en el engaño. Tu verdadero padre es el hombre que odias: Pedro Lavalle". Sube de nuevo la cortina musical.

Claro que este pequeño incidente también sucede con las madres y las protagonistas, pero la clave del asunto radica en que a partir de dicho momento uno de ellos posee dos familias. La constante que se repite es: se nace en una familia noble, aristocrática y acaudalada, y la segunda familia en la cual se cría es pobre, campesina y desclasada. El contraste social de las dos es el secreto y sólo los televidentes lo conocen. He aquí otra razón de suspenso y de éxito para la fórmula.

Este tipo de historias sigue la estructura de la leyenda del héroe, que se ha caracterizado por ser un mito de legitimación de poder. La fórmula de las telenovelas, ya sea consciente o inconsciente por parte de los libretistas, termina cumpliendo un papel político. El televidente se enfrenta a un mundo rígido en donde existe un orden natural inquebrantable que también rige a las clases sociales. El hijo del noble será noble, y tarde o temprano lo descubrirá. Al igual que Edipo Rey, los protagonistas de las telenovelas no pueden cambiar el destino, pero a diferencia de la tragedia griega en las telenovelas los personajes son estereotipados y el drama es falso.

Para el mundo de las telenovelas las clases sociales están fijadas y la única forma de romper con la estratificación social es el amor. A pesar de la implacable moraleja, que persiste tanto en las telenovelas tradicionales como en las literarias, la estratificación social poco se altera, puesto que el origen del orden social existente nunca se cuestiona. Las telenovelas en este sentido cumplen el mismo propósito social que los mitos: reconciliar y explicar a su manera la contradicción social. Como decía Roland Barthes: se vacía lo real de los fenómenos sociales y se deja al sistema inocente: lo purifican. Tal vez no sea un azar después de todo, que se someta al televidente a este extraño interludio de detergente, en los espacios de comerciales.

Así pues, la telenovela y sus fórmulas mantienen una doble función: permitir la rápida producción comercial de estas series, respondiendo con ello a unos intereses económicos, y garantizar una visión del mundo que se ajusta a los intereses sociales de una clase dominante. En este sentido podríamos decir que las telenovelas en forma sutil legitiman uno de los dilemas sociales que los sociólogos consideran como una de las principales causas de la violencia en Colombia: la falta de movilidad social.

Pero, ¿Qué pasa entonces con las telenovelas literarias? ¿Son diferentes a las tradicionales o legitiman también este orden rígido?

Walter Benjamín, un fino crítico literario y uno de los primeros pensadores que llamó la atención sobre la forma en que la reproducción mecánica transforma y afecta el arte, nos dijo: "El arte propiamente presupone un carácter físico y espiritual del hombre, pero no existe ninguna obra de arte que trate de atraer su atención, porque ningún poema está dedicado a su lector, ningún cuadro a quien lo contempla, ni sinfonía alguna a quienes la escuchan". En otras palabras, la obra de arte cuando es auténtica no está determinada por una audiencia ni es el producto de una serie de indulgencias que se hacen con el fin de atraparla. La telenovela literaria, al igual que la telenovela tradicional, conserva un propósito básico: conquistar una audiencia y se ve forzada a realizar las concesiones que sean necesarias para lograrlo.

Aristóteles en la *Retórica* también advierte que cuando se fijaba con claridad una audiencia, ésta determinaba el lenguaje y el estilo del discurso. La audiencia televisiva y su conciencia por parte de la industria cultural y sus libretistas establecen el contenido y el estilo de las telenovelas.

Una de las telenovelas literarias de mayor éxito en Colombia fue la del escritor colombiano David Sánchez Juliao, titulada "Pero sigo siendo el Rey". Si tuviéramos que atenernos a la forma en que se escribió, se debió bautizar: "Pero sigo siendo el rating", porque fueron los ratings y los sondeos de audiencia lo que determinaron los contenidos de la producción. Rosita Alvírez, por ejemplo, uno de los personajes centrales de la novela, aparecía originalmente en los primeros 40 capítulos. Sin embargo, fue eliminada después del décimo. La razón: la actiz que encarnaba el papel no le gustó al público. Y de acuerdo con la programadora, el público debe amar a los personajes.

La escritura de una novela es un proceso artesanal que bien puede tomar años. Este no es el caso de las telenovelas literarias. Los libretistas entregan sus adaptaciones sólo unos días antes de filmar. Esto responde a una lógica: es importante que los personajes de la telenovela evolucionen de acuerdo con las reacciones que se estudian del público. El éxito en gran parte de una telenovela se mide porque en la mitad de alguna de ellas se solicitan más capítulos que los planeados al comenzar. En este sentido, la telenovela nunca está escrita, siempre se está escribiendo.

"Gallito Ramírez" es otro ejemplo de una telenovela literaria, basada en el cuento "El Flechas" de David Sánchez Juliao que logró un gran éxito con la audiencia. Frente a su popularidad debió acomodarse a una serie de cambios, solicitados por la programadora. Ante ellos, la personalidad original de los protagonistas se transformó. La buena de Diana Portete se convierte en una arpía. Los pobres Ramírez se vuelven ricos y Gallito, que responde a la fórmula tradicional de "Alégrate que tu padre no es tu padre", acaba congraciándose con el hombre que tanto odiaba al principio de la telenovela, y que resulta ser su tío. En últimas lo que empezó como una crítica a la clase aristocrática decadente cartagenera concluye reivindicándola en todos sus valores.

La audiencia no es la única que influye sobre el contenido de las telenovelas literarias. El Estado colombiano siempre ejerce una función de censura, ya sea en forma explícita o implícita. En la telenovela "La mala yerba" de Juan Gossain sobre el tema de la droga y el enriquecimiento de los narcotraficantes en la Costa Atlántica colombiana, el Estado presionó por una serie de cambios. El nombre del país no debía ser Colombia sino "La Antillana". Un cambio como vemos muy sutil. Pero, como la censura siempre cae en el ridículo, ésta no iba a ser una excepción. Sin quererlo, la programadora, en una de las tantas fiestas que tuvo la obra, dejó que al fondo de un escenario apareciera una bandera de Colombia. Y la programadora fue multada por el Estado por "ofender los símbolos patrios".

Gracias a su tema, las drogas, la telenovela conquistó un gran éxito. Se le aumentaron 20 capítulos. Ahora bien, la novela *La mala yerba* no fue escrita para una audiencia televisiva y por lo tanto, no necesitó hacer concesiones o asumir ciertas actitudes zalameras. Además, las novelas en general no se ven forzadas a realizar relaciones públicas con el Estado colombiano; la televisión sí. En la novela los mafiosos no son condenados. En la telenovela triunfa el bien sobre el mal. La programadora no se expondría a una multa del Estado por estar realizando una "apología del delito".

La censura explícita se presenta en pocas ocasiones y por lo general es tácita. Las experiencias anteriores van condicionadas a los libretistas para que conozcan cuáles son los terceros que pueden o no pisar. La telenovela "El Faraón", del escritor colombiano Héctor Sánchez, fue objeto de sanciones. Vale la pena destacar que esta novela le siguió a "Pero sigo siendo el Rey". Las razones fueron comerciales. De acuerdo con los ejecutivos de la programadora, después del Rey, todo invitaba a seguir con El Faraón. Representaba una buena estrategia de mercadeo. Se continuaba en la tónica "real" y con ello esperaban heredar la audiencia. Les funcionó. Pero "El Faraón" les acarreó algunas dificultades. En una escena en donde aparece una prostituta y un homosexual que salen de un burdel el Estado consideró que estaba atentando contra "las buenas costumbres del pueblo colombiano" y multó a la programadora.

Aquí vale la pena comentar lo que ahora sucede con "El Divino" de Gustavo Alvarez Gardeazábal. En esta telenovela también hay un homosexual. Lógicamente produjo protestas por parte de la Iglesia, pero quizás el Estado aprendió que la censura genera incomodidades con la prensa y que no le conviene provocar. El personaje Eurípides, un peluquero amanerado, es en gran parte responsable del creciente éxito que cosecha la telenovela. Sin embargo, no me extrañaría si en algunos meses Inravisión también sanciona a "El Divino", por cualquier razón, por "atentar contra las buenas costumbres del pueblo colombiano".

Ahora bien, existen aciertos en el mundo de la telenovela literaria. "La tregua" del escritor uruguayo Mario Benedetti fue uno de ellos. Cuando revisamos este caso particular descubrimos la excepción que confirma la regla. Dicha producción no pasó por las mismas presiones o exigencias de las telenovelas comerciales. Los libretos se ajustaron a las necesidades internas de la obra. Se escribieron 32 capítulos y ni uno más. El número fue arbitrario y no una cifra redonda preestablecida por la programadora. Todos los libretos se entregaron con semanas de anticipación a la filmación. No se usó apuntador. A los artistas se les exigió estudiar con cuidado sus líneas. Se repitieron las escenas que se consideraron precisas. La programadora invirtió todo el dinero que se necesitó para llevar a cabo una producción de calidad. "La tregua" de Benedetti también fue una de las primeras telenovelas-literarias que se produjo en Colombia. Quizás por ello su caso fue especial.

Ante las condiciones descritas, creo que la relación que se establece entre la literatura y la televisión se resume como netamente comercial. Los escritores aceptan que esta transacción les arrebate su obra, la desmembre y transforme a cambio de un reconocimiento económico. Uno de ellos me explicaba que estos dineros le facilitaron escribir por un período adicional, sin las presiones económicas que por lo general agobian. "Yo no considero que la versión televisiva sea la obra que escribí", decía el escritor Jorge Eliécer Pardo. "No me identifico con ella. Lo único que espero es que ayude al lector a encontrar mi novela".

La publicidad que genera la telenovela es en últimas la esperanza del escritor. Se enfrenta a un nuevo tipo de Mefistófeles que le promete un dinero a cambio de un nombre y en últimas de su obra. Su situación no es fácil. Las relaciones con el mundo de la televisión serán siempre de producción. Bajo estos principios se establecen y definen. Los escritores concluyen diciendo: Mi alma se la dejo a la programadora.

Pedro Henríquez Ureña analizó el poder de los medios y las producciones que éstos fomentaban, y concluyó: "Lamentable visión la del futuro, en que las artes populares hayan perecido bajo la opresión de la imprenta, el cinematógrafo, el fonógrafo y la radiotelefonía, invenciones de genio esclavizadas para servirle de instrumento a la mediocridad presuntuosa. Mientras tanto el arte culto se refugiará en atmósferas enrarecidas, perdiendo calor y sangre..."

Deseo terminar esta conferencia con una historia de la mitología clásica cuya dramática lección parece olvidada. Es la historia del Sátiro Marsias. La Diosa Atenas fabricó una flauta con dos huesos de ciervo y la tocó en un banquete para deleitar a los Dioses. Algunos sostienen que fue el pícaro Cupido, otros que Afrodita y Hera los que se burlaron de la Diosa, al notar que sus carrillos se hinchaban y su rostro se amorataba. Atenas, indignada, arrojó la flauta a la tierra. El Sátiro Marsias la encontró y comenzó a tocarla. Repitió los aires elementales que salían del instrumento con pasión. Con la flauta y su canto creó un cortejo. Lo acompañaba Cíbele, Diosa de la Fertilidad y la naturaleza salvaje, y juntos recorrieron toda Frigia deleitando a los campesinos. Apoderados de su éxito, el Sátiro retó con arrogancia a Apolo, Dios de las Artes, un concurso con su aristocrática lira. Apolo derrota a Marsias y como castigo por el ultraje perpetuado, lo cuelga de un pino y lo desolla.

Este cruel mito se ha interpretado de diversas formas. Alfonso Reyes, el poeta mexicano, vió en Marsias la evocación del arte humilde. Yo prefiero encontrar en esta historia la protesta del Dios Apolo por la presunción, la trivialización y la banalización del arte.

LA ADMINISTRACION DE JUSTICIA EN COLOMBIA

Fernando Hinestrosa
Universidad Externado de Colombia

La formación de los juristas, así como la organización judicial, la legislación y la jurisprudencia en Colombia se remiten a la colonización española y, posteriormente, en materia constitucional, al positivismo inglés y a la Constitución Americana, pero en lo demás, al denominado *civil law* o derecho europeo continental, de origen romano-germánico, y principalmente al francés.

En la Constitución Política, que data de 1886, aun cuando con reformas fundamentales en 1936 y otras más recientes, se encuentra dispuesta la tripartición de los poderes o ramas del poder público. Anteriormente república federal, desde 1886 rige un centralismo político y administrativo bastante fuerte, que apenas ahora comienza a atenuarse con estímulos presupuestales a los municipios y la posibilidad de elección directa de alcaldes, en reformas que pronto comenzarán a aplicarse.

En materia de administración de justicia, hay una jurisdicción ordinaria, compuesta por la Corte Suprema de Justicia, Tribunales Superiores de Distrito Judicial, cuyo territorio coincide con la división político-administrativa del país, juzgados de circuito y juzgados municipales; y una jurisdicción contencioso-administrativa, compuesta por el Consejo de Estado y los Tribunales Administrativos. Además, está el Ministerio Público: Procuraduría General de la Nación y Fiscales de Tribunales y de Juzgados.

Por decisión del plebiscito de 1.° de diciembre de 1957, cuando se retornó a la normalidad institucional luego de una década de violencia, que concluyó en régimen militar, tanto la Corte, como el Consejo de Estado son paritarios, es decir, sus miembros han de pertenecer a los dos partidos tradicionales, liberal y conservador, en número igual, permanecerán en sus cargos hasta su renuncia, su incapacidad o su retiro forzoso por edad (65 años), y son elegidos con total autonomía por la corporación (cooptación), lo que muestra con claridad la independencia total de la Corte Suprema y del Consejo de Estado, tanto respecto del Gobierno, como del Congreso. Anteriormente el Congreso los elegía para períodos de cinco años, de ternas pasadas por mitad a cada Cámara por el Gobierno Nacional.

La Corte y el Consejo eligen magistrados de tribunales para períodos de cuatro años, también en forma paritaria, y los Tribunales Superiores eligen jueces para períodos de dos años. La autonomía electoral de todas las corporaciones judiciales es absoluta. Antiguamente los magistrados de tribunal eran elegidos por la Corte de ternas pasadas por las asambleas departamentales y los jueces municipales eran elegidos por los concejos o cabildos de cada municipio.

La jurisdicción ordinaria conoce de asuntos penales, de asuntos de derecho privado y de asuntos laborales, separadamente, por jueces y salas de tribunal especializados. El principio de la doble instancia es básico. La primera instancia se tramita en los juzgados, con jueces singulares o unitarios, municipales o de circuito, según la importancia o la cuantía del asunto. Las decisiones de los jueces pueden ser apeladas: las de los jueces municipales, para ante los jueces del circuito, y las de estos para ante los tribunales.

La Corte Suprema tiene cuatro Salas o Secciones: la Constitucional, la Civil (derecho privado), la Penal y la Laboral. Las Salas de derecho privado, penal y laboral conocen de los recursos de casación y de revisión de sentencias dictadas por los Tribunales Superiores en determinados casos de mayor importancia y cuantía. El recurso de casación es una figura originaria del derecho continental europeo, y por medio de él se atiende básicamente a la unificación jurisprudencial: la parte que se considere agraviada por la sentencia en uno de esos asuntos, puede pedir que se le invalide (casar, del francés= romper, quebrar), por ser contraria a la ley. El recurso de revisión contempla un resultado análogo: anular una sentencia, pero por razones de irregularidades graves del proceso o por haberse basado en una prueba falsa o en algún fraude.

La Corte Suprema en pleno conoce de las demandas de inconstucionalidad de las leyes o de los decretos del gobierno central que tengan fuerza de ley, y también de las objeciones que formule el gobierno a los proyectos de ley por razones de constitucionalidad; y en el caso de los decretos de estado de sitio o de emergencia económica, ella revisa *ex officio* su constitucionalidad. La Corte tiene en la actualidad 24 jueces, 4 de ellos integran la Sala Constitucional, que elabora el proyecto de sentencia en materia de constitucionalidad.

Este control jurisdiccional de la constitucionalidad de los proyectos de ley, de las leyes y de los decretos con fuerza de ley, por la Corte, se encuentra establecido desde hace un siglo y se ha ido consolidando paulatinamente. La soberanía completa de la Corte la coloca, como lo dice la Constitución, como guardián de la integridad de la Constitución, y no han sido pocos los que pudieran llamarse conflictos entre la Corte y el Gobierno y el Congreso.

El poder de la Corte, después de la reforma constitucional de 1968 incluye el control de la regularidad de los trámites de formación de las leyes, y según su jurisprudencia reciente, llega incluso al control de la constitucionalidad de las reformas de la Constitución, tanto por razones de fondo, como por motivos de orden formal, y así, dos reformas constitucionales, una de 1977 y otra de 1979, fueron declaradas inconstitucionales por la Corte, con gran conmoción política.

El Consejo de Estado es también una institución de origen continental europeo, más precisamente, francés. Con 20 miembros, tiene una Sala que se llama de Consulta, a la que el Gobierno debe dirigirse, para decretar el estado de sitio o el estado de emergencia, o para retener ciudadanos por corto tiempo y como medida de alta policía, o para la revisión de la legalidad de contratos administrativos de mayor cuantía, y a la que puede consultarle distintos puntos de orden jurídico que le interesen. Y tiene otra Sala, que se llama de lo contencioso administrativo, dividida en cuatro secciones: una que conoce de la constitucionalidad y legalidad de los actos de la administración central: decretos y resoluciones: otra que conoce de los conflictos entre los empleados públicos o trabajadores oficiales y la administración central: otra que conoce de las reclamaciones contra las liquidaciones de impuestos; y otra encargada de resolver los conflictos que se presenten en razón de contratos administrativos celebrados por la administración central y de los juicios de responsabilidad de la administración central por hechos de sus empleados. Estas últimas materias fueron hasta hace veinticinco años de competencia de la Corte Suprema de Justicia.

Los Tribunales Administrativos conocen de los mismos asuntos en cada departamento o división político-administrativa, respecto de la administración regional.

El Procurador General de la Nación es elegido, para períodos de cuatro años, por la Cámara de Representantes, de terna que le pasa el Presidente de la República. Dentro de sus funciones básicas se encuentran: la vigilancia de la conducta de todos los funcionarios y empleados públicos, dentro de los cuales se incluyen los de la rama jurisdiccional; la defensa de los intereses de las entidades públicas en los distintos procesos; el ejercicio de la acción pública en los asuntos criminales; y, hasta ahora, la dirección de la policía judicial. Pero el Código de procedimiento penal que se acaba de expedir y que habrá de entrar en vigor a mitad de este año, trasladó esa función a la Dirección Nacional de Instrucción Criminal.

Los jueces de instrucción criminal son designados, como los demás jueces, por los tribunales superiores, para períodos de dos años, y la dirección de instrucción criminal, en la respectiva región o departamento, los distribuye y asigna los asuntos que han de tramitar.

El procedimiento penal sigue siendo inquisitivo y no acusatorio. Un juez, con el auxilio de la policía judicial, cuya subordinación al juez es grande, adelanta la investigación y, si encuentra mérito, llama a juicio al sindicato. El fiscal, como representante de los intereses públicos, es oído, pero su concepto no es vinculante para el juez.

Son bien grandes y variadas las preocupaciones que suscita la administración de justicia. Es más, el tema o, mejor, el lema de la reforma de la justicia se ha convertido en un *leit motiv* político recurrente, y en los últimos años se han intentado varias: 1964, 1968-70, 1977, 1979,... Existe la tendencia generalizada de sobrevalorar el mérito de los Códigos y demás estatutos, y de esa manera muchas veces las reformas se reducen a retoques o cambios de las normas, especialmente las de procedimiento, lo cual no deja de crear mayor inseguridad. Por ejemplo, en los últimos veinte años se ha reformado o intentado reformar el Código de procedimiento penal no menos de seis veces.

Ha habido el empeño de que los jueces sean los mejores juristas y de estimular la vocación judicial en las universidades. Sin embargo, esos esfuerzos no han sido continuos y, por el contrario, tiene que reconocerse que ha habido un deterioro de la institución. Las asignaciones, aun cuando contienen incentivos a la permanencia, a la capacitación y al rendimiento, no son suficientes como para que, en una selección rigurosa, la administración de justicia pueda competir con la empresa privada o con el ejercicio independiente de la profesión.

La carrera judicial está dispuesta en la Constitución, y llegó a reglamentarse en 1969, pero, no ha sido puesta en práctica. Intereses, vicios, temores se han convertido en escollo, y siempre se pospone su entrada en vigor. En este año se presentó, en parte por decreto gubernamental y en parte por sentencia de inconstitucionalidad de la Corte Suprema, un nuevo aplazamiento de la vigencia de la carrera judicial.

Son numerosas las quejas contra el sistema de integración de la Corte Suprema y del Consejo de Estado, y las dos reformas constitucionales declaradas inconstitucionales por la Corte tendían precisamente a crear un Consejo Superior de la Administración de Justicia, de gran estatura intelectual y moral, semejante al de la República Italiana, con poder de nominación.

La instalación de los despachos judiciales, en especial en las grandes ciudades, es lamentable y lo mismo su dotación. Las condiciones de trabajo son precarias e incómodas.

Los métodos y la organización del trabajo administrativo son rudimentarios y anticuados, lo que causa recargos, congestiones y demoras inútiles. Algo se ha hecho en favor de la sistematización, pero es largo el camino por recorrer.

La bibliografía y el servicio de información doctrinaria y jurisprudencial de que disponen los despachos judiciales, aún los de más elevada categoría, son muy reducidos.

A todo lo cual es preciso agregar, como fenómeno reciente, el de la inseguridad personal de los funcionarios judiciales. El problema tiene antecedentes en la época de la violencia: segunda mitad de los cuarenta a fines de los cincuenta, dentro del enfrentamiento entre los dos partidos políticos tradicionales. Pero, lo de estos tiempos presenta otros caracteres, por muchos conceptos más peligrosos e inquietantes. El asesinato de jueces que conocen o han conocido de investigaciones de mucha entidad, bien sea de crímenes denominados políticos o de mayor gravedad (secuestros), o relativas al narcotráfico. La intimidación en todas sus formas, y también los halagos.

Los sucesos abominables y dolorosos del Palacio de Justicia en noviembre de 1985, en donde fueron sacrificados once magistrados de la Corte y numerosos auxiliares, no solamente dejaron una sensación de indefensión y, si se quiere de abandono, o por lo menos de falta de solidaridad, sino que marcaron una huella de pérdida de confianza en las instituciones.

Las amenazas continuaron y con mayor vehemencia. La reintegración de la Corte ha sido lenta y díficil. Las condiciones de trabajo de los magistrados son muy adversas por todo concepto. La inestabilidad del personal es enorme.

Y ha aumentado en el seno de los funcionarios y empleados judiciales un sentimiento de aislamiento y de relegación, que en cierta medida los enfrenta a Gobierno y Congreso y muestra un empeño suyo de recuperar prestancia y atención, inclusive por medio de organización sindical y movimientos huelguísticos.

Encuestas que se han realizado para conocer la opinión y los sentimientos de la ciudadanía, muestran que deja mucho que desear la confianza del público en sus jueces: en su preparación, en su nivel profesional, en su rendimiento, en su propia honestidad.

Y esto es muy grave, pues despierta rencores y resentimientos y crea un clima de mayor inseguridad, pues a veces las gentes prefieren hacerse justicia por sí mismas, y en algunas regiones la guerrilla ha llegado a sustituir a la jurisdicción, emitiendo decisiones más prontas y con mayor eficacia real que las de ésta.

En los últimos días, a raíz de algunas decisiones de constitucionalidad y de conceptos de la Sala Penal de la Corte en materia de extradición por causa de narcotráfico, la contraposición de pareceres y actitudes de la Corte y del Gobierno ha sido fuerte, y medios importantes de opinión han increpado con encono aquellas decisiones, en tanto que otros han preferido reiterar su confianza en las instituciones y en la rectitud y el carácter de los jueces. Pero el hecho mismo de que las sentencias de la Corte sean motivo de discusión callejera y de que la Corte haya considerado del caso salir a explicarlas y defenderlas, muestra la extensión y el calado del problema.

Preocupa el que, no obstante que existe la convicción general, no sólo en las esferas gubernamentales o en los medios profesionales del derecho, sino en los distintos círculos y estratos sociales, de que el problema de la administración de justicia es grave y de la mayor importancia para la propia supervivencia del sistema democrático, y a pesar de que continuamente se repite el anhelo de atenderlo y de resolverlo, en la práctica los esfuerzos se retrasan y diluyen, y a la postre no se dan los recursos económicos, y la disponibilidad personal es exigua.

Personalmente creo, por convicción y experiencia, en la capacidad de superación de Colombia y en su sentido del peligro. En verdad estamos atravesando un período muy adverso y de gran riesgo: recesión económica, desempleo, deuda externa onerosa, mengua del rendimiento de las exportaciones, escalada guerrillera, el flagelo del narcotráfico con todo su poder corruptor, descapitalización de las empresas, abusos del sistema financiero y bancarrota de instituciones y prestigios, desestabilización de los partidos políticos. Y la permanencia y aún la agravación de estos fenómenos, al extremo de que la conciencia y los sentimientos de la ciudadanía se han ido habituando a esos hechos y su capacidad de repugnancia y de reacción se ha ido embotando.

Sin embargo, tengo la convicción de que comienzan a verse las cosas con mayor claridad y a vislumbrarse soluciones, que no pueden ser expeditas ni mágicas, y que tienen que ser muy nuestras.

Vamos a recuperar la majestad, la dignidad y la prestancia de la administración de justicia.

[illegible] decisión [illegible] de la Corte haya considerado del derecho y [illegible] entenderla, muestra la extensión y [illegible] del pueblo.

[illegible] que no olvidamos que existe la cuestión general [illegible] en los tribunales [illegible] provinciales [illegible] de aquel problema de la administración de justicia, es grave [illegible] mayor importancia para la [illegible] a pesar de que constantemente se repite [illegible] en la práctica los criterios [illegible]

[illegible] y experiencia en [illegible] de la economía y en su sentido [illegible] atravesando un período [illegible] recesión económica, desempleo [illegible] de las exportaciones [illegible] de las empresas [illegible] del sistema financiero [illegible] de instituciones [illegible] y la agravación de estos [illegible]

[illegible] la convicción de que [illegible] con mayor [illegible] soluciones, que no [illegible]

[illegible] la majestad, la dignidad y la [illegible] de la administración de justicia.

EL PROCESO DE LA PAZ EN COLOMBIA: LA LUCHA CONTRA LA VIOLENCIA

Otto Morales Benítez
Estadista (Bogotá)

En la Universidad de Cornell, en Ithaca, New York, hubo un coloquio entre los Profesores J. León Helguera y Raymond L. Williams. Ambos han vivido en Colombia y han estudiado sus problemas. Helguera dicta la cátedra de historia en la Universidad de Vanderbilt en Tennessee, y ha publicado varios textos acerca del pasado colombiano. Williams profesa la cátedra de literatura colombiana en la Universidad de Colorado, Boulder, y ha editado libros acerca de la cultura nacional. A ellos respondió Morales Benítez en torno a la Violencia en Colombia día 24 de abril de 1987.

Lo histórico y lo imaginativo

Mire, Profesor Helguera: escuchando tan diversas tesis sobre la violencia, desde esta mañana, me estaba confundiendo y me preguntaba: ¿esto ha sucedido en Colombia? Porque son variados y extraños los enfoques, que no coinciden, históricamente, con lo que realmente nos ha pasado. Hay una superposición extraña, rarísima sobre los temas. Se atan problemas de tipo regional, con otros nacionales, acciones de simple carácter sindical, con las torceduras que produce la violencia política. Se han ligado interpretaciones de los camaradas, con las de reaccionarios insignes de la inteligencia internacional. De todo escuché aquí, en el día de hoy. De todo; absolutamente de todo.

Hay que advertir que no se ha hecho la clasificación de los documentos históricos, relacionados no con una violencia, sino con las distintas que hemos padecido. Porque tienen características y motivaciones bien diferentes. No hay papeles sobre los cuales trabajar. No se han ordenado. Muchos archivos oficiales relacionados con La Violencia que comienza en 1946 han sido quemados. No se sabe si deliberadamente. Allí había pruebas fundamentales. Inclusive no se han ubicado y deslindado cuáles son las diversas etapas históricas, en las cuales se ha desenvuelto este dolorosísimo y conturbador fenómeno. Esa es la realidad. Lo que hay son libros de análisis o valoración caprichosos. Amañados unos. Otros con orientación política comunista o reaccionaria. ¡¡¡De todo se da en la viña del Señor!!! Esto nos está perturbando y desviando el espíritu de investigación, tanto de los nacionales como de los extranjeros.

Qué queremos saber de la violencia

¿Qué es lo que queremos saber de la violencia?, es la pregunta cardinal. Después nos podemos interrogar: ¿De cuál de las violencias? Es que son varias. Además, son matices totalmente distintos. Con características y motivaciones radicalmente incomparables. Con implicaciones sociales y políticas bien distantes. Relacionadas con problemas que no tienen parentesco.

Creo que el valor básico de esta cuarta reunión de la "Asociación de Colombianistas" es despertar el interés por principiar a clasificar históricamente los materiales. En segundo lugar, ir separando los temas de las violencias que hemos padecido, para tener más vislumbre sobre lo que ha pasado en Colombia.

Un país hacia la modernidad

Pregunta el Profesor Helguera: Doctor Otto ¿Usted concuerda con mi teoría de que Colombia empezó a cambiar en la década de los años 23-25? Es decir: ¿que no hubo un movimiento histórico complicado, como el sacudimiento de tierra debajo de una montaña? ¿Que empieza a verse una Colombia nueva del año 32 para acá?

Respuesta: En la exposición que usted hizo esta tarde, citó a Alfonso López Pumarejo. El fue un agitador social y político liberal muy importante. Pertenecía a la burguesía. Hombre muy abierto a los intereses comunitarios. Realmente, un gran transformador. Usted también se refirió a la Reforma Constitucional de 1936, que cambió la organización del Estado. El Doctor López, en una de las conferencias importantes que dictó en esa época, dijo: "En ese momento, principia Colombia a ser un país moderno. Queda detenido y destruído el proceso de la Colonia, que se ha prolongado hasta esta fecha". Esa es la síntesis del proceso colombiano.

Para poder entender el fenómeno hay que explicar varios acontecimientos históricos. A ellos creo que también se refirió el Profesor Raymond Williams al hacer el análisis de *La Manuela*. El nos señaló cómo se detuvo el proceso de modernización del Estado en el siglo pasado, cuando se dividió el liberalismo entre gólgotas y draconianos, que condujo a la Regeneración Conservadora de Núñez y de Caro, con regreso al "hispanismo" y al dominio del catolicismo en la política y en la educación.

La Constitución de 1886

Perdimos el poder los liberales. Se llegó a la Constitución de 1886. Por cierto que celebrábamos sus cien años de promulgada, en forma muy graciosa y singular. Fue una Constitución que ha tenido sesenta y tres reformas. Y los oradores oficiales hablaban de su intangibilidad. Pero con argumentos particularísimos. Se leía en todos los panegíricos: La Constitución del 86, que ha garantizado la paz de la República. Produjo dos guerras. La última de tres años, que es a la que se refiere García Márquez en *Cien años de soledad*. Por eso él habla de valores de la violencia retrospectiva. También oí menciones de ella esta mañana.

Con el artículo 121 de la Constitución del 86, el del Estado de Sitio, se ha gobernado. La Constitución del 86 no se aplicó. Se dictaron disposiciones transitorias. Estas fueron las que se utilizaron, en combinación con el 121.

El Estado de Sitio es lo más prolongado que hemos vivido en Colombia. A ése es al que debieron celebrarse los Cien Años de Soledad. Sufrió una reforma en el año de 1986, estando el Profesor Fernando Hinestrosa de Ministro de Justicia. El Presidente Carlos Lleras Restrepo llevó la propuesta al Congreso. Se estableció que este artículo tiene un mandato, cual es el de controlar el desorden público. Y a través de él se pueden dictar las providencias que tengan íntima relación con la alteración del orden público. Y así se hizo la declaración expresa de que apelando a él, no se pueden modificar las leyes. Ni cambiar el régimen jurídico, que era lo que sucedía desde 1886. Es la primera vez que se clarifica hasta dónde puede llegar el Estado de Sitio en mi país. En el año de 1986, por lo tanto, se hizo una modificación muy valiosa, por su rigor y su importancia. Para manejar las conflictivas situaciones sociales y económicas, se instituyó en el artículo 122 la "emergencia", para dictar medidas —distintas de las que menciona el Art. 121 del "estado de sitio"— cuando se presenten "actos que perturben o amenacen perturbar en forma grave e inminente el orden económico o social del país". Tenemos tres grandes réformás constitucionales en este siglo: La de 1936 que llevó los criterios económicos y sociales a la Magna Carta. Se consagraron los deberes sociales del Estado frente a la comunidad para poder adelantar una política: establecer el derecho de huelga, los derechos sindicales, las reformas agrarias, etc. A la vez, se le dijo al ciudadano que tiene unos deberes sociales con el Estado: trabajar, cumplir con la ley, etc. De suerte que fue una modificación total de la orientación del Estado Colombiano. Luego vienen las de 1945 y 1968.

Recuento histórico

Todas estas referencias que he hecho, tienen concomitancias con el problema de la violencia. No son desviaciones. Con el Art. 121 se montó la violencia política que comienza en 1946. Ya llegaremos a ella.

Pero regresemos a la pregunta del Profesor Helguera, que se refiere a aspectos históricos del siglo pasado. Caído el partido liberal del poder, entra a operar la Regeneración Conservadora, después de la guerra de 1876, muy extraña, con carácter religioso. No fue la violencia, de la que estamos hablando ahora. Las guerras estaban, como en toda Suramérica, haciendo la integración de las nacionalidades: de las regiones, de los intereses económicos. Y se definían valores políticos o culturales. Esa del 76, trataba de destruír la orientación de la educación, que, por primera vez, se liberaba de la imposición del pensamiento católico. Fueron batallas con cumplimiento de las normas internacionales en este tipo de luchas. Eran otros valores totalmente distintos. En la violencia, en cambio, a veces ni se conocen los intereses que defienden o atacan.

A mí me extraña que unos autores, colombianos y extranjeros, recojan tranquilamente la tesis de que la violencia nuestra principia con la Independencia. Así, pues, que casi no nos podemos libertar de los españoles, porque era parte de la violencia colom biana. ¿Esa interpretación qué pretende?. ¿Para qué distorsionan la historia en esa forma? ¿O es que tratan de dar unas vueltas históricas innecesarias para justificar unas tesis contemporáneas? A esas desviaciones hay que tenerles cuidado. Debemos tener un poco de rigor para entender los desórdenes sociales.

No me estoy refiriendo a la presentación que ha hecho el Profesor Helguera. Usted lo que ha logrado es un recorrido histórico de cómo se cumplió parte de la formación del Departamento del Cauca, que hoy tiene problemas de violencia sumamente graves. Usted no ha sostenido que la actitud de Santiago Muñoz o la de José J. Caicedo —que peleaban a favor de los esclavos— justificara la violencia contemporánea. Son fenómenos totalmente distintos. También mencionó a Quintín Lama, quien actuó en el Tolima y en el Cauca. Por fortuna en su texto aparece claro que son situaciones bien distantes, para solicitar nuestro pretérito. Y éste es un buen sitio académico para solicitar mayor rigor y precisión a quienes observan nuestras desgarraduras más como espectáculo, que les permite lucirse intelectualmente con escritos especulativos y truculentos, que ceñidos a la verdad, que demandan ética e investigación.

En 1876, el señor Murillo Toro, quien era el jefe radical, dice: hay que afirmar el armisticio con los conservadores, derrotados en los Chancos, y debe hacerlo el General Joaquín Acosta porque si no, se cae el partido liberal. Carlos Holguín que era hábil político, dijo: un momentico, y sugirió que no se negociara el término de la guerra con Acosta. Aconsejó: deténganlo y entreténganlo. Son dos formas de la guerra: impedirle avanzar bélicamente y desviarlo en sus objetivos con conversaciones. Viene lo que se conoce en la historia nacional como la Expansión. Se firma en Manizales con Julián Trujillo. Holguín lo vió con claridad: Trujillo nos entrega el poder al conservatismo, a través de la traición que hará el señor Rafael Nuñez al liberalismo, al llegar al poder.

Así sucedió. Gobiernan los conservadores hasta el año de 1930, cuando logra reconquistar el liberalismo el ejecutivo. Son 45 años de dominio total.

El año de 1930

En esta sala también he oído hablar de la violencia del año 30. Es bien distinta. Es la reacción de quienes han manejado el poder omnímodamente. No había educación cívica para el respeto del derecho político de los demás. La concepción es absorbente. En Colombia se conoce ese episodio, doloroso también —sin dirección del Estado— como el de "los curas guapos" de Santander del Sur, Santander del Norte y una parte de una Provincia de Boyacá, que resolvieron sacar al liberalismo del poder. Ustedes se preguntarán: ¿por qué intervinieron los sacerdotes? Por una razón simple: el clero estaba muy entreverado políticamente con el conservatismo. Consideraban que si dejaba de gobernar éste, perdía la Iglesia los privilegios. O el clero, como ustedes quieran. Proclamaron: no podemos permitir que los impíos y los herejes —que éramos nosotros los liberales— gobiernen. Esa fue la situación, la que fue controlada.

Luego hubo reacciones en algunos de los departamentos cuando se cumplían actos políticos, en período electoral. El Profesor Williams creo que hizo referencia a la novela de Alonso Aristizábal en la que se presentan aspectos de la violencia en Caldas, en esos días. Para evaluar estos hechos, habría que hacer un estudio de cómo eran los oradores en esas calendas. Eran elocuentes y agresivos; con nobleza en el idioma y sin límites en la agresividad. La investigación debe demorarse en las reacciones que provocaban y en las injurias que desataban, sin contención en el uso y abuso de los adjetivos.

Hay un libro que es bueno leer. Lleva por título *El Gran Burundú Burundá ha muerto,* de Jorge Zalamea. En él está descrita la violencia, nacida a través de la palabra. Se establece cómo ésta engendra con furor aquélla. Cómo la palabra en el Parlamento, en las acciones públicas, en la manera de dirigirse simplemente a la multitud, genera unos sentimientos de odio; de resentimiento que, luego, se traducen a través de los disparos.

Esa es parte muy esencial de cómo se fue larvando y, luego,

proyectando la violencia en Colombia. Es un fenómeno muy difícil de comprender, sin haberlo vivido.

La Violencia de 1946

Ganamos el poder los liberales en el año 30. En el año 45, nos dividimos. El doctor Jorge Eliécer Gaitán, por un lado; el doctor Gabriel Turbay, por el otro. Este fue un médico, de mucha garra política. No pudo entenderse con Gaitán, a pesar de que eran de la misma generación, con el mismo espíritu y afán de modificar y modernizar el Estado Colombiano. Proceso que había comenzado en el año 30, con el gobierno del doctor Enrique Olaya Herrera, luego López Pumarejo, más adelante Eduardo Santos, Darío Echandía y Alberto Lleras. Esos son los personajes que actuaron como Presidentes.

En el año 46 regresan al poder los conservadores y principia la violencia. La que nosotros llamamos "La Violencia", con mayúsculas, que fue de una crueldad sin límites. Aquí se hizo referencia a 450.000 muertos. Eso es cierto y quizás más. Fuí miembro de la "Comisión Investigadora de las Causas de la Violencia", para estudiar lo que había sucedido en el país de 1946 en adelante. En el momento que comenzaba el Frente Nacional, ya depuesto el Dictador. Puedo asegurar que no hubo crimen que no se cometiera en esa época, desmán que no se perfeccionara. Fue, además, una acción dirigida desde el Gobierno contra el poderío político del Liberalismo, que siempre ha sido mayoría. Ganamos invariablemente. Nos descuidamos y perdemos. O cuando se manifiestan grandes odios dentro del mismo partido, entre los candidatos o los grupos. Es de la única manera que hemos salido del poder. De resto, ganamos aun cuando el candidato sea malo.

Alberto Lleras reemplazó al Presidente López Pumarejo, quien presentó renuncia. Aquél, en su calidad de Ministro de Gobierno de éste, había presentado un Proyecto de Reforma Constitucional. En ella, por primera vez, se habló de algo que demoró muchos años, en el resto del mundo, para tener audiencia democrática. Fue la planificación, que se convirtió en mandato constitucional. Pero, realmente, lo único que se ha planificado en el país fue la violencia. La que comienza en el año 46.

Para que tengan una remota idea de lo que sucedió voy a hacer referencia a un solo caso. Fue que pasaron cosas de una crueldad aberrante. Para citar un ejemplo: Santuario de Caldas. Lo evoco porque es de mi departamento. Es el lugar donde yo hacía política. Los liberales poníamos en las urnas ocho mil votos. Operó tan fuerte la Violencia, que hoy la votación son: siete mil conservadores y trescientos liberales. Entonces, acomódenle a esto interpretaciones marxistas o fascistas —lo que quieran— y no les da resultado. Porque es que la historia contradice esas sentencias esotéricas. Es algo totalmente distinto.

Falacias acerca de cuando comenzó La Violencia

El Profesor Williams manifiesta que leerá apartes del libro del expositor Morales Benítez *Latinoamérica: Atisbos desde Mérida,* que dicen:

> Para calificar esta etapa, se han lanzado dos enunciados que ayudan a desfigurar históricamente lo que sucedió. Se ha venido repitiendo que lo que se vivió fue "una guerra civil no declarada". Si ello se acepta, el gobierno hallará quién lo justifique en la acción de La Violencia. Es tanto como aceptar que el gobierno debía defenderse. Que obró en legítima defensa, pues le estaban proponiendo un combate. Ello no es cierto. Es una trampa verbal que hábilmente se ha sugerido para que la coreen los incautos. Y éstos son más que los que entienden el peligro de recalcarla.
> Como sustituto se propone la otra alternativa. La violencia comenzó el 9 de abril, cuando cayó abatido el líder Jorge Eliécer Gaitán. Otra falacia. Y ella sirve, igualmente, para justificarlas. Para que al gobierno no le descubran el vínculo inicial en tan cruel desangre nacional. Y ello ¿por qué? Por algo elemental: si arranca del 9 de abril cuando una ciudad como Bogotá sufrió tantos desmanes de revuelta, entonces se alegará que el ejecutivo tenía que defenderse, garantizarle a la ciudadanía el orden público. La Violencia sería así, una tentativa de rescatar al país del caos. Es otra afirmación que no debe calidarse, porque no es verídica y confunde el juicio y el análisis históricos.
> Como es igualmente inexacta la interpretación que con tanta ligereza se formula de que La Violencia que arranca en 1946 tiene su motivación en la reivindicación de la tierra. Es la

> manía de presentar un factor social como motor. Igualmente, crea confusión y desvía en el porvenir a quien estudie este doloroso fenómeno. Quienes la vivimos y la padecimos sabemos que fue un acto político. Descarnada y cruelmente político. Lo otro, es poner velos complacientes y amables sobre la objetividad macabra de esa época. Por ser neta y exclusivamente política, esa Violencia tiene menos atenuantes para formular la crítica de su truculencia y ensañamiento.

Solicita el Profesor Williams al ponente que explique esos juicios.

Respuesta: Agradezco al Profesor Williams que haya leído estos apartes del libro *Latinoamérica: Atisbos desde Mérida.* Pertenecen a un capítulo que escribí acerca de mi formación como escritor por solicitud del Padre Marino Troncoso, quien está aquí con nosotros. El me llevó a ese estado de falta de pudibundez al contar cómo soy. Es como un asalto a la intimidad. El lo logró. Es un texto en el cual trato de ordenar unos materiales para decir cómo me formé. La Universidad Central de Bogotá ha publicado ese capítulo —aparte, en edición especial con el título de *Declaración Personal.*

Como se desprende de la lectura, llamo la atención en torno a dos tesis que han venido progresando. En este mismo recinto, se han pregonado hoy, tres o cuatro veces. La violencia fue una guerra civil no declarada, se sentencia. ¿Qué va a pasar con el historiador dentro de veinte años? Desaparecida la generación mía, que fue la última a la que le tocó el fenómeno de la violencia del año 46 hasta el año 60, no queda quién relate lo que sucedió con toda su gravísima crueldad. ¿Cómo ordenará los materiales esa historia que admite que fue una guerra civil no declarada? Pues afirmará que quinientos mil muertos es muy poco para defender la estabilidad del gobierno. Porque éste no está para dejarse caer. Su vocación es mandar y garantizar la estabilidad de las instituciones. Con derecho o sin derecho; buen gobierno o mal gobierno. Entonces, ¿ustedes se dan cuenta de todo el alcance de esa frase? No ha sido lanzada a la ligera por un hombre ignorante. Es uno de los hombres más inteligentes del partido conservador el que la ha puesto a circular.

Otra frase afirmativa: el 9 de abril principió la violencia, cuando mataron a Gaitán. Este es asesinado el 9 de abril de 1948. El 7 de febrero del mismo año, Gaitán había realizado la "Manifestación del silencio'' en Bogotá, porque ya había más de cien mil muertos en el país. Pronunció uno de sus discursos más hermosos. Se le conoce como la ''Oración por la paz''.

Fue una manifestación impresionante por la disciplina. Se asustaron por el dominio que ejerció sobre las masas. Por ello lo mataron. En ese momento la muerte de Gaitán es un episodio muy grave en el proceso de La Violencia colombiana. Revela un estado alto de peligrosidad. Pero con su asesinato, no comienza aquélla.

La dictadura con Violencia

Una gran pelea interna de los conservadores favorece la dictadura de Rojas Pinilla. Hemos tenido muy pocas dictaduras en el país: sólo cuatro, de pocos días. Esta duró un poco más. Casi cuatro años, porque un grupo conservador muy poderoso la apoyó. Lo primero que dijo el usurpador: habrá paz. La gente acosada, intimidada, agobiada por el exceso de derrame de sangre, le creyó. Lo aplaudieron. Hubo una pausa y se entregaron guerrilleros. Después viene lo que cuenta Jacobo Arenas en su libro: la muerte de Guadalupe Salcedo, la de los Villamarín, la de otros guerrilleros que le dieron crédito. Los conocí, pues con ellos me entrevisté como Secretario del Liberalismo. Era jefe del partido Alberto Lleras, en la lucha contra Rojas Pinilla.

Fui a verme con todos estos guerrilleros al Llano. Debe hacerse una aclaración: la guerrilla liberal aparece tres años después de haber comenzado La Violencia. Cuando ésta comenzó, no existía organización de resistencia al Gobierno. Este resolvió acorralar al liberalismo para seguir ganando las elecciones. ¡¡¡Aspiraba el conservatismo a gobernar otros cuarenta y cinco años!!!

Acompañé a un hombre excepcional, como lo fue Alfonso López Pumarejo. Otra reunión se realizó en el Turpial. López fue la primera persona que se entrevistó con lo que llamaban ''los bandidos''. Así calificaban a los guerrilleros liberales. Después fue modificándose el lenguaje. El liberalismo no tenía conciencia guerrillera. Consideraba la paz como uno de sus objetivos. Declaraba que si le daba apoyo a cualquier fuerza popular que tuviera afán de guerrear, sería muy grave. No lo hizo. Quien reaccionó fue el núcleo familiar. Tuve oportunidad de conversar con todos los jefes guerrilleros de esa época, en el año de 1959. Y cada uno contaba un atropello, o del ejército o de la policía, contra el honor familiar básicamente. Contra el honor sexual de sus esposas, o de sus novias o de sus hijas. Sin excluir, entre otra multitud de atropellos, el de la muerte. Todo se está olvidando. Principió a buscársele interpretaciones, acomodos, justificaciones. No olvidemos que fue la violencia planificada: comenzó en las veredas, después pasó a los pueblos. Nunca la dejaron llegar a las ciudades. Metódicamente se predicó que si llegaba a éstas, el gobierno no tenía capacidad de control. Las ciudades grandes del país son liberales. De grandes mayorías liberales. Por eso no la dejaron llegar allí.

Esa teoría de que porque hay mucho café apareció la violencia para robárselo, es otra extravagancia interpretativa. Lo que sucede es que el café está en zonas liberales. Esos libros que dicen que el café fue el motivo de ella para apropiárselo, olvidan que eran pueblos absolutamente liberales. El Quindío es todo liberal: de Armenia a Génova. Allá se estaba destruyendo a la mayoría liberal. Para eso se usaron todos los sistemas. Es que se han ido perdiendo hasta las palabras que señalaban parte de este angustioso fenómeno, por estar dando interpretaciones nuevas a La Violencia: "Aplanchar", por ejemplo, era utilizar una peinilla que desprendía, a golpes, los riñones. Se ha olvidado que el gobierno armó a las "Guerrillas de Paz". Repartió los fusiles entre la población adicta a sus ideas para que pelearan contra los "impíos" liberales. Además, se calificaba de comunistas a los liberales. Porque ese calificativo se utilizó para justificar todas las injusticias nacionales e internacionales.

Para poder castigarnos y no perder el prestigio en Estados Unidos, los liberales, entonces, éramos comunistas. Con interpretaciones reñidas con lo realmente sucedido, tanto de colombianos como de extranjeros de buena voluntad, la Violencia aparece cada día más confusa, difícil de entender, muy dramática y llena de dolor colectivo.

Luego, otra teoría que se ha extendido y la han regado mucho los camaradas es aquella que afirma que fue una reivindicación de la tierra. ¿Cuál reivindicación?, podemos interrogar.

La violencia fue totalmente política. Estoy refiriéndome a los años 46 al 60. De ella se derivó usufructo económico. Pero no era su propósito ni hacia allá se inclinaba su afán. El fenómeno ocurría así: se presentaba la intimidación, la amenaza, el "boleteo" que anunciaba la muerte. Entonces se tenía que abandonar la finca, el negocio, el almacén, el billar o el café. Los tuvieron que dejar en manos de cualquiera. La gente advirtió: esto de la violencia, además de servir para matar liberales, permite quitarles las fincas. Mejor que se vayan. Pero eso no es reivindicación de la propiedad. Eso es especulación y robo. Se volvió parte integral de la violencia política. Pero que ahora los intérpretes, por favor, no recojan la tesis de los comunistas de que fue una reivindicación de la tierra.

Lo de Sumapaz, que aquí se ha mencionado, es otro cuento diferente. Allí hay un enclave comunista muy importante. Lo dejó formar, como lo explicó el Profesor Helguera, el gobierno de Abadía, que no tenía sentido de la justicia social, como lo demostró Germán Vargas esta mañana al hablar de la huelga de las bananeras: la disolvieron a bala. Pero eso es otra cosa. Era expresión de reacciones contra manejos injustos de la propiedad. El Estado protege o no los derechos individuales de los civiles. Es un problema totalmente distinto. Históricamente diferente. No tienen enlace el uno con el otro. Esto es lo que tenemos que poner en orden. Los colombianos estamos muy agradecidos del esfuerzo que están haciendo todos los extranjeros: los americanos, los ingleses, los franceses, por tratar de ayudarnos a comprender y situar esta dramática dolencia. Pero ¡Por Dios!, no nos desvíen. No nos desarraiguen de nuestra propia realidad. Es la única cosa que, misericordiosamente, podemos pedir. Déjennos pensar esta historia dolorosa, amarga, con nuestros propios elementos. No nos agreguen valores que no concuerdan con esta tragedia colectiva tan grande.

El investigador extranjero, europeo, latinoamericano o estadinense, llega con tiempo limitado. A veces, orientado por amigos que no tienen la suficiente claridad o que, al contrario, necesitan comprobar una tesis que no corresponde a la verdad. Pecan en su interpretación, según el medio en el cual caigan en nuestro país. Allí les crean toda clase de prejuicios, leyendas: los acompañan con imaginaciones. Además, hay el peligro de que no examinen sino un caso —el de un municipio, por ejemplo, o el de una región— y ello sí que tiene dificultades: porque el desarrollo y evolución de La Violencia, tienen características bien diferentes. Expliquemos: en las regiones conservadoras, hay una visión parcial. Totalmente diferente de la que tienen los liberales que la sufrieron, la padecieron y pusieron la mayoría de los muertos y, luego, les usufructuaron sus propiedades. En otros lugares, actuó la guerrilla comunista. Esta no se enfrentó ni al ejército, ni a la policía, ni a los conservadores. Siempre actuó contra los liberales. De suerte que es bien complicado el análisis. Con mayor razón, si pensamos que no tenemos archivos ordenados y algunos han principiado a esfumarse. Cuando incendiaron, el 6 de septiembre de 1952, los periódicos *El Tiempo, El Espectador,* la Casa Liberal Nacional, y las residencias de los doctores Alfonso López Pumarejo y Carlos Lleras Restrepo, se pretendía que desaparecieran todos los documentos que podían servir de acusación contra el gobierno conservador. Una vez más, vale la pena tener máximo cuidado al hacer observaciones sobre este complicado y difícil mundo colombiano.

La paz en el gobierno de Lleras

Al caer la dictadura, hizo la paz el gobierno de Alberto Lleras. Para combatir causas desestabilizadoras, se organizó una política de orientación sumamente eficaz. Se tomaron múltiples medidas, con un equipo interdisciplinario para hacer la "rehabilitación"; había médicos para saber qué tratamientos debían hacerse a través de terapias colectivas. Unos abogados decían: la violencia trajo unos desajustes sociales, económicos, problemas de tierras; hay gentes de ciertas regiones que no pueden volver a las otras. Por lo tanto, el Estado que amparó la injusticia debe luchar para que se imponga la justicia compensatoria.

"La Comisión Investigadora de las Causas de la Violencia", ayudó a diseñar la política de rehabilitación. Lo primero fue que se restableciera el diálogo entre la población civil y las fuerzas armadas: ejército y policía. Construir vías, porque muchas regiones eran impenetrables. Asegurar un tratamiento inmediato de salud para mil carencias del pueblo. Establecer frentes de trabajo masivos —obras públicas a pica y pala— que aliviaran la condición de pobreza inquietante. Darles servicios públicos, desde correos y telégrafos, hasta puestos de salud. Fortalecer el sistema educativo que, a pesar de que habían tratado de conservarlo en medio de tanta dificultad, demandaba ayudas rápidas y eficaces. Eliminar todas las controversias sociales, comunitarias, que pudieran entorpecer el diálogo futuro de personas, grupos o sectores regionales. Dar ayudas a grandes masas, que carecían de toda posibilidad de laborar la tierra, que era su vocación. Planear establecimientos de segunda enseñanza para recoger muchachos que habían crecido en la guerrilla y no conocían otra expresión colectiva que la violencia. Idear sistemas de recreación comunitaria. Eran pueblos o regiones, despojados de toda posibilidad de esparcimiento. Sencillamente, armar una comunidad que había perdido todo contacto con el estado. A éste sólo lo sentían en su capacidad de crueldad. Todo esto lo torpedeó políticamente un ala del conservatismo y, luego, habló de las "repúblicas independientes". Esa es parte básica del desarreglo social que hemos venido padeciendo.

Las Repúblicas Independientes

Todos estos aspectos hay que principar a verlos con claridad y separar las distintas violencias que hemos padecido. Termina el gobierno de Alberto Lleras Camargo en el año 64. Lo sucede Valencia. No se había analizado dónde quedaron ubicados los guerrilleros liberales. Estos ocuparon determinados lugares que cambiarían la proporción política de algunos departamentos. Concretamente, el Huila. El Caquetá sería una nueva región totalmente liberal. Entonces se inventó una teoría: existen "repúblicas independientes". Son unos enclaves, dentro del país, que no dejan gobernar; que no admiten que el Estado ejerza ninguna autoridad. Principiaron a predicar la necesidad de exterminarlas. Para ello se apeló a discursos, reportajes, presentación por la televisión. Se hizo dramatización de los discursos en el Parlamento y en la prensa.

Tuve la suerte de ser amigo del Presidente Valencia. Lo acompañé en su campaña. Generosamente me escuchó y me atreví a decirle: Presidente, no se meta en este enredo con las "repúblicas independientes". Lo que pasa es que se ha formado una franja territorial política, que producirá unos cambios al conservatismo, desde el punto de vista electoral. Como los liberales también hemos perdido unas zonas en las cuales no volveremos a tener votos. Le puse como ejemplo el norte del Valle del Cauca. Le repetí: no se meta en este paseo, Presidente, que le va a hacer mucho daño a Colombia. No tuve éxito. Entonces nace la violencia actual, de la cual no hemos podido salir.

La Violencia desbarata al país

Pregunta el Profesor Williams: Lo que está ocurriendo hoy es muy confuso. ¿Qué relación hay entre la droga y la violencia?

Respuesta: Buena pregunta. Para poder contestar ordenadamente, primero trataré de ilustrar sobre lo que está pasando hoy en Colombia. En el país se han creado una serie de formas delincuenciales que no conocíamos. Que se han entremezclado. Confluyen a la misma actividad de la violencia. Por eso existe confusión, no solamente en el exterior. La contemplamos internamente, la padecemos con toda clase de delitos. Algunos de tipo internacional: en la financiación, en los caracteres, en las consignas. Muchos, para realizarlos, invocan el nombre de la guerrilla, sin pertenecer a ella.

Si quiero hacer un secuestro, si voy a cometer un asesinato, si deseo tener poder en una región, hablo a nombre de las Farc, del M-19, del ELN, del EPL. Todo eso se enmaraña. Nadie lo discrimina. No se sabe, con claridad, si ésos realmente fueron ordenados por un comando de los que manejan las guerrillas o no. Se ha vuelto sumamente difícil el deslinde.

Sufrimos una delicuencia común, como es la que aparece en las ciudades. Sabemos qué nos está pasando en Bogotá como en New York, o París. En cualquier nación. Asesinan en Estocolmo al Primer Ministro. Ello nos advierte que la cosa está complicada. No es que los colombianos seamos unos bárbaros. No los estoy justificando. Pero la materia es sumamente enmarañada, desde el punto de vista internacional. La primera Violencia, la de los años 46 al 60, produjo un desplazamiento rural de las gentes hacia la ciudad. La concentración masiva y desplazada en las ciudades, que produjo la Violencia desde el año 46, fue una forma del ciudadano para perder su identidad política. En el pueblo, en la vereda, no era posible ocultarla. Al llegar a Medellín, a Bogotá, o a Cali, por ejemplo, nadie lo identificaba, ni sabía su filiación, porque no tenía compadre al lado. Podía pasar desapercibido. Pero llevaba a cuestas otra tragedia; llegaba sin oficio y sin recursos económicos.

El Estado en esa época no tuvo una política económica clara para continuar el proceso de industrialización en el cual se venía avanzando. La ausencia de demanda de mano de obra fue otro ingrediente de descomposición. Más tarde irrumpe el fenómeno del terrorismo: muchos años más tarde. Y, posteriormente, el crimen del narcotráfico. Es una forma nueva, que nos va a producir desequilibrios en todos los sectores. Es algo de lo cual apenas comenzamos a percatarnos.

Y ahora me refiero concretamente a la pregunta suya, en la relación entre el narcotráfico y la guerrilla.

Demasiadas formas delincuenciales

El narcotráfico pervierte y compromete a demasiados grupos, en los diferentes estamentos sociales. Desafortunadamente, sin distinciones. Al principio, antes de detectar lo que sucedía: la lucha entre sus parciales la presentaban los actores, y la cogían los medios informativos como retaliaciones entre fuerzas guerrilleras. Hay atentados permanentes entre ellos. Familias que se liquidan totalmente, con un crueldad tremenda, por cobro de cuentas, mala liquidación de remesas, ajustes de dineros, pequeñas delaciones. Entonces castigo, antes de que me perjudique. Si alguien pretende retirarse del negocio, para estabilizar su vida económica, debe de eliminar personas que saben que estuvieron en el negocio y conocen sus antecedentes. Es un engranaje diabólico.

El narcotráfico presenta todas las formas delincuenciales que ustedes se puedan imaginar. Con otro ingrediente sumamente grave: hay silencio y complicidad. Esta es total. El imperio de la impunidad crece. Porque lo que está en juego es conservar la vida. La justicia no es que esté fallando, como acostumbramos a decirlo, con tanta generosidad, de café en café. El problema es más hondo y más difícil de juzgar.

Luego viene el crimen político. En Colombia lo hay de dos categorías: el de retaliación entre grupos nuevos que han aparecido a la vida electoral. Es una manera de conservar o adquirir el mando y el prestigio. Es un fenómeno enmarañado que no se ha estudiado y del cual no se habla. La segunda: aparecen personas que, justa o injustamente, las vinculan a crímenes de la guerrilla, y al dar la cara al público, las eliminan. Este es otro aspecto igualmente intrincado. Todo se vuelve un torbellino. Se revuelve en la misma olla fermentada de la violencia.

El gobierno no ha intentado hacer claridad sobre todos estos diferentes tipos de violencia. No ha habido una separación. Se requiere una explicación pedagógica a los colombianos de qué es lo que nos está pasando. Porque vivimos en inquietud; con demasiada amargura colectiva.

Ultimamente, por ejemplo, ha habido varias muertes de jefes políticos de la Unión Patriótrica, un partido aparecido después de la tregua firmada durante el gobierno del Presidente Betancur. A la vez, se han presentado muertos liberales, conservadores, con prestigio regional. Poco se ha acusado a la policía y el ejército de estas muertes. Cuando era la costumbre política de ciertos sectores, claro está. Es evidente que no les pueden adjudicar la responsabilidad. Por ello se callan. Esa es la realidad. Hay silencios muy extraños. ¡¡¡Que mataron a fulano y nadie dice qué pasó!!! Esa es parte de los mutismos comunitarios que nos han invadido en Colombia.

Hay otro afán de conservar el dominio en la comarca, sin competencia. Para ello hay que eliminar unos opositores. Es otro aspecto que tampoco se ha investigado. Ahora viene una actividad política, como es la elección de alcaldes. Hay grupos que consideran que deben despejar su camino para tener el dominio de las alcaldías. Porque, además, van a tener plata. Una inmoralidad monstruosa que consagró la ley es la de que el alcalde tiene derecho a escoger el Tesorero, sin que la ley exija calidades a éste. Ni ninguna disposición nacional establece cómo es el control de los dineros públicos municipales. De suerte que, entonces, hay ingredientes recientes que ayudan al crecimiento del desorden.

En Colombia la discusión pública ha sido el signo general de la vida política. Para conseguir votos siempre habíamos actuado como en un torneo: se tenía que demostrar que se era el mejor. Que hablaba bien; que tenía ideas; que podía presentar iniciativas al país. Así se había hecho siempre. Pero ahora ha cambiado. Los sistemas conducen a muchas inmoralidades administrativas. Hay otra ralea atroz: los maniáticos anticomunistas.

Principian a presentarse denuncias acerca de sus criminales andanzas.

Aquí se habló del MAS: muerte a secuestradores. El Presidente Betancur, cuando yo presidía la Comisión de Paz, produjo una carta rechazando cualquier forma de intervención del poder público, en apoyo, en ayuda a esos grupos. Además, el Procurador de esa época, el doctor Carlos Jiménez Gómez, hizo denuncias públicas, reveladoras. Pero, ahora, como que reviven en medio de la desorientación comunitaria que vivimos, en la cual el gobierno no ha señalado sus criterios.

Luego viene el crimen político terrorista, manejado desde el exterior. Hay mucha delincuencia terrorista de derecha. Hay vandalismo, que se ha presentado en los oleoductos del país. Esos son atentados contra la riqueza pública: la de ellos, la mía, la de todos los ciudadanos. Son manifestaciones de la violencia general que nos cerca más, todos los días.

Otras formas de perversión social

Otras formas fue la aparición, en muy pocos años y de sopetón, de los delitos financieros, que no los conocíamos. Los de cuello blanco. Otra manifestación es contra la hacienda pública: se ven mezcladas demasiadas personas, en peculados, negociados, etc. Son crímenes económicos contra la hacienda pública para favorecer sectores que ayudan a estabilizar determinados grupos políticos. En estos dolorosos episodios, se han comprometido los dos partidos tradicionales. Ello les hace perder autoridad, audacia, energía. Y comprensión y credibilidad de la gente de la calle.

En todas las profesiones se ha producido un fenómeno: la gente no tiene el sentido ético para lo cual lo han educado. Nosotros padecemos, además, dentro de todo ese maremagnum, otro problema: el de la violencia tradicional; grupos comunistas; los que vienen de la derecha: anarquistas; depravadores vandálicos, terroristas. Se sirven del amparo de los hombres de las guerrillas para muchos de sus delitos. Para varios de ellos no tenemos legislación. No hay cómo castigarlos, porque son nuevos y no había penalidades contempladas.

Ustedes saben que en el fenómeno internacional del terrorismo, por ejemplo, apenas se ha logrado algunas convenciones internacionales, a las cuales han adherido la totalidad de los países. Las Naciones Unidas han aprobado una declaración sobre la necesidad de que haya colaboración y que las naciones se afilien a estas convenciones donde hay un tratamiento para delitos tan cobardes como ése. O el problema del narcotráfico que no es local, ni municipal. Es internacional.

El narcotraf ico y la violencia

La pregunta del Profesor Williams es ésta: ¿qué ha pasado con la guerrilla y el narcotráfico? Cuando fui miembro de la Comisión de Paz, se principiaba a especular que había una unión entre el narcotráfico y la guerrilla. Visité diferentes grupos guerrilleros. No advertí esa ligazón. No era tan evidente como parece patentizarse ahora. Lo afirmo, pues fui quien habló por primera vez con ellos, corriendo toda clase de riesgos. Son aventuras muy sugerentes para grandes relatos, además casi mitológicos. Nunca advertí que hubiera esa atadura. Me refiero a los años 82 y 83. Así lo declaré.

Pero se han presentado circunstancias y declaraciones muy reveladoras. Esto ha traído pocos debates internos en el país. Apenas comienzan a aparecer en la prensa.

Enrique Santos Calderón en el periódico *El Tiempo* (5 abril 1987) ha escrito una crónica de un viaje al Caquetá. A él, como es sabido, se le ha considerado como amigo o simpatizante de un cambio en la vida colombiana. Su relato dice en lo pertinente: "...Cartagena del Chairá, un ardiente caserío que vive de la coca... la coca es la única actividad económica y las FARC la sola autoridad... Jorge, el jefe del 14 Frente, es el primer guerrillero gordo que conozco (¿manes de la tregua?). Resulta ser un hombre pragmático que aborda de entrada el problema de la narcoproducción que caracteriza la zona. 'Qué culpa tenemos de que aquí se cultive la coca —pregunta—, que es la única posibilidad económica para los campesinos'. Cuenta que cuando les propusieron que cambiaran de cultivos 'casi se nos sublevan y nos dijeron que fuéramos serios'... 11:00 a.m. De regreso a Cartagena del Chairá pienso en el drama de la paz y la reconciliación en esta Colombia contradictoria y violenta. ¿Cómo erradicar el narcotráfico cuando se han visto en el Caguán sus raíces sociales y su apabullante dinámica económica? ¿Cómo esperar que las FARC se desmovilicen sin garantías ni reformas? Y si las hubiera, ¿desmontarían el poderoso aparato militar que tienen en esta y tantas otras zonas del país? ¿Cómo imaginarse que curtidos marxistas-leninistas que a lo largo de 30 años de lucha violenta han construído las bases de un ejército propio, van a acogerse a las bondades del sistema que tanto han combatido? ¿Cómo evitar que comunidades abandonadas de Dios y del Estado se acojan a quienes llenan el vacío de poder y autoridad? *¿Cómo ignorar, en fin, que miseria, coca y guerrilla son tres elementos de un mismo problema?...*''

Cuando se tomaron el Palacio de Justicia, en los documentos que se publicaron del M-19, pedían al gobierno medidas que favorecían a los posibles extraditables por el delito del narcotráfico. En un libro que publicó la Procuraduría de la Nación, en agosto de 1986, registra cómo el 3 de octubre de 1985, la H. Corte Suprema de Justicia comunicaba a la ciudadanía, por medio de la prensa, que recibía ''graves, concretas y reiteradas amenazas de muerte contra los miembros de este Organismo en relación con nuevas demandas de inconstitucionalidad del Tratado de Extradición entre Colombia y los Estados Unidos''.

En el relato que hace el señor Procurador General de la Nación, se establece que entre las solicitudes de los asaltantes al Palacio de Justicia, aparecían dos: una que clamaba contra el Tratado de Extradición pactado con los Estados Unidos y, la otra, que exigía que no se entregaran colombianos, como una de las consecuencias del tratado, pues la consideraban como una renuncia de la soberanía nacional.

El Ex Presidente Carlos Lleras Restrepo, en editorial de su semanario *Nueva Frontera*, del 30 de junio, dice: ''... los asesinatos allí cometidos no puede olvidarse que una de las cosas que el M-19 considera como causas justificadas de sus crímenes es la existencia de un instrumento internacional que permite perseguir delitos que tienen también carácter internacional. Bajo las invocaciones al nacionalismo se esconde la búsqueda de la impunidad de delincuentes. ¿Y cómo ignorar que en los días anteriores al asalto varios magistrados recibieron amenazas? ¿De dónde provenían éstas? ¿De los narcotraficantes o del M-19? Y por último, ¿qué valor tiene el hecho de que a esas amenazas siguiera, a los pocos días, el ataque y el sacrifico de los que debían calificar las solicitudes de extradición?''

Nos falta claridad en las políticas

Estos datos realmente nos llevan a una pregunta: ¿en qué estamos fallando? ¿Por qué no se detiene la ola de violencia y, al contrario, parece extenderse y profundizarse? Han sido horas tan dramáticas vividas en este año de 1987, que muchos enuncian que se vive una guerra. Cruel y despiadada. Y sin límites humanos. Sin que se obedezcan las más elementales reglas del derecho de gentes.

Valdría la pena, para terminar, que —para contestar a varias preguntas de las aquí formuladas— se hicieran estas anotaciones.
Primera: Es necesario que el gobierno defina una política para valorar la violencia en sus diferentes manifestaciones. Que se haga una separación entre las diversas formas de delincuencia y el tratamiento que merece cada una de ellas.
Segunda: Que se exprese por el Estado cuál será la actitud frente al narcotráfico, pues éste invade y confunde muchos sectores. Ya hemos expuesto cómo el problema de la ''narcoguerrilla'' es una modalidad demasiado preocupante.
Tercera: Se necesitan definiciones muy claras por la administración de una táctica a corto, mediano y largo plazo para enfrentar los angustiosos procesos a que está sometida la comunidad colombiana.

Como no hay claridad, la confusión de la ciudadanía se expande en mil desequilibrios. Se habla mucho de organizaciones de propietarios rurales para defenderse. De que se busca por los particulares justificaciones jurídicas para tomar medidas por sus propias manos.

Esto llevará a mayores calamidades colectivas y a que el gobierno pierda el control de las situaciones.
Cuarta: Los partidos colombianos tampoco tienen propuestas concretas sobre la materia. Se están dejando gobernar por el mismo complejo de silencio —para llamarlo de alguna manera— que ha invadido a los organismos del Estado y sus representantes. En ello influye, quizás, el que han desviado sus afanes hacia administrar al electorado con soluciones muy concretas y de inmediación, sin

proponer definiciones para los problemas nacionales y quedando al margen la doctrina.

Quinta: La justicia impera que el gobierno le garantice que puede dictar sus sentencias, sin que los criminales acribillen a los jueces y magistrados. Tiene que ser un diseño de defensa integral del sector judicial. No de protección ocasional de unos funcionarios. Se demanda un estudio especial para este aspecto.

Sexta: Dentro del desorden nacional, para poder reclamar que no haya protestas violentas, se deben castigar, dentro de las normas, los "Crímenes Económicos", que han proliferado tanto en el país por falta de vigilancia del gobierno. No puede prosperar la creencia de que sólo actúa la justicia para los más desvalidos. Esta premisa acelera más desequilibrios.

Séptima: Lo mismo puede decirse del sector público. En éste, se ha operado un crecimiento desmesurado del poder burocrático. Como no hay una carrera administrativa, se accede a los cargos por recomendaciones políticas. Ello daña la actividad gubernamental. La solidaridad es más con quienes dieron el apoyo ocasional político que con las verdaderas funciones que el Estado les ha encomendado. Además, han proliferado mil sistemas para eludir las reglas legales en el curso de las licitaciones, tipos de contratos, reajustes de éstos y manejo, en general, de los dineros públicos. El atentado contra los fondos fiscales se ha convertido en manía y abuso de algunos funcionarios. El hecho de que no haya sanción precipita reacciones violentas de la comunidad. Y sirve para que la gente justifique actitudes primitivas, porque ella siente que se ha roto el equilibrio de la justicia.

Octava: Se necesita aclimatar, casi que con prédica evangélica y de liderazgo, la convivencia ciudadana. No se está haciendo nada para que ello suceda. Al contrario, fuerzas de derecha están apareciendo con máxima agresividad y con extrañas organizaciones de retaliación, que conducen a la eliminación de gentes vinculadas a otras ideas. Es parte de un sectarismo colombiano que no hemos logrado aplacar.

Novena: El pluralismo político indica que para alcanzar la paz es indispensable que haya libertad de pensamiento. Este es un postulado democrático. En Colombia escritores, periodistas, pensadores, profesores universitarios, artistas están llegando al exilio porque hay intransigencia intelectual. O son asesinados. Es una

afrenta a la inteligencia nacional. Y otro daño irreparable a la paz. Algo aún larvado, pero que si el gobierno no controla, puede desbordar el derecho a pensar. La paz, como se sabe, depende de la ecuanimidad para juzgar y tolerar las ideas del adversario.
Décima: En el país se ha consentido, por falta de medidas oficiales, una singular concentración de poder económico. Este ha llevado a múltiples desvíos en el cumplimiento de la débil legislación antimonopolista. Ello produce reacciones en muchos sectores, que sienten la violencia que ejerce aquél y que perturba el desarrollo normal de actividades que deberían estar más diversificadas.
Undécima: La manera como se negocian muchos aspectos de nuestra deuda externa conduce a que el gobierno tome una serie de medidas de cobro de servicios —en una comunidad con carencia de recursos— que la irritan y se producen "paros cívicos", que llevan a nuevas manifestaciones de violencia.
Duodécima: Los gobiernos han sido conscientes de que se deben tomar medidas para distribuir mejor la tierra. Inclusive hay disposiciones legales que las autorizan. Pero así como se hacen de claros los enunciados, también son muy elocuentes las reticencias y lentitudes, para aplicarlas por falta de voluntad política.
Décimo-tercera: No creemos la afirmación simple de que la miseria engendra la violencia. Si la tesis fuera cierta no habría ningún país en el mundo que no la padeciera, pues hay regiones que la viven, inclusive en los países desarrollados. Además, la miseria crea tales síntomas de impotencia y de incapacidad de reacción individual y comunitaria que, por lo tanto, ella no es válida. Pero las múltiples medidas que se tomen para cancelar todas las mermas en la vida de nuestro pueblo son aconsejables para evitar tensiones y climas que afecten la buena comunicación social entre los compatriotas y en sus relaciones con el Estado.
Décimo-cuarta: El gobierno no tiene grupos de estudio de la violencia. El fenómeno es tan desgarrador y difícil, que requiere análisis por mil aspectos: la realidad en cada región, que es muy diferente una de otra; lo jurídico; lo social y lo económico; lo religioso; lo político; lo antropológico; lo de sicología colectiva, etc.

Para ello son indispensables organizaciones científicas, dedicadas a explorar, clasificar y ordenar los temas y señalar medidas. A nivel de gobierno, se requieren que miembros de él analicen y propongan, con los datos que recibe aquél, medidas

conducentes a eliminar sus causas y su desarrollo hacia el futuro.
Décimo-quinta: Se necesita idear cómo se pueden estimular intereses generales que conduzcan a la unidad de la comunidad colombiana. Poco se ha explorado esta posibilidad. Sería un proyecto de cohesión nacional. Esto permitiría abrigar esperanzas. Un programa nacional va más allá de los partidos y de los proyectos institucionales.
Décimo-sexta: Inclusive los partidos han perdido la capacidad de conducción de la sociedad colombiana, por sus divisiones y sus contradicciones internas. Se ha presentado una separación entre la sociedad civil y el Estado. Los elementos que usan las colectividades no han logrado disminuir esa brecha. Pero éstas no desean darse cuenta.
Décimo-séptima: La violencia contra las instituciones no está resolviendo ninguno de los problemas nacionales. Tampoco está dando indicaciones de cuáles serían las modificaciones aconsejables. Entonces, es algo que oscila en el vacío de las soluciones y en el torbellino de su propia locura estremecida, que produce pavor, sin indicar caminos.
Décimo-octava: La simple solución militar no la conciben ni los mismos miembros de las fuerzas armadas. Pero la realidad es que no se están proponiendo otras alternativas por el gobierno. Hay más silencios que propuestas.
Décimo-novena: En algunos lugares se necesita que el Estado cree posibilidades distintas a las del cultivo de la coca. Para ello se deben especificar planes integrales. Entre éstos, que los organismos especializados del Estado garanticen unos precios a los nuevos cultivos, los comercialicen y los transporten. Porque la ausencia de una política de esa naturaleza garantiza que, en determinadas regiones, no se aplique la ley. Es grave porque es un retiro de la acción del Estado de ciertos sectores.
Vigésima: Lo esencial es exaltar el valor de la vida, y no tenemos capacidad para juzgar nosotros —ante sí y porque sí— quién merece conservarla. Que no se pueda suprimir por razones ideológicas, políticas o religiosas. Ni por defender el Estado si no hay ataque. Ni en nombre de credos que predican que lo hacen por los humildes.
Vigésima-primera: Darle a la violencia categoría de guerra es declarar que a ello nos llevaron unos grupos. Sería una "guerra de

minorías'', porque aquí no participan sectores masivos. Entonces, no es un real conflicto bélico.
Vigésima-segunda; La lucha antisubversiva debe planearse en varios frentes interrelacionados: en lo militar y en lo político.
Vigésima-tercera: El compromiso de la defensa de la vida no es con un sector. Es con todos. Asesinan seres humildes. Es algo que indica que las víctimas son las pobres gentes. La vida debe asegurarse a todos, sin exclusiones.
Vigésima-cuarta: Crear muchos grupos que se empeñen en la ''defensa de la vida''. Que, además, estén convencidos que son varios los caminos alternativos hacia la paz.
Vigésima-quinta: Asistimos a una crisis múltiple: económica, política, cultural, moral.
Vigésima-sexta: La no violencia no puede ser marginal. Al contrario, necesita ser activa, pensante, protagónica.
Vigésima-séptima: La lucha por la paz se demanda que se convierta en conciencia civil. No demandársela al gobierno nacional, exclusivamente. El experimento de los alcaldes quizás sirva para ello, y si se diseña una política que los comprometa. Creo que no debe desperdiciarse la oportunidad. Desafortunadamente no se escuchan planteamientos acerca de este punto esencial. La lucha municipal debe tener como propósito la paz.
Vigésimo-octava: Crear ''Comités de Emergencia'' en las zonas con problemas de violencia. Que haya mucha participación popular para buscar soluciones comunitarias.
Vigésima-novena: Educar a los niños para la paz: democracia, respeto al contrario. Y que tomen conciencia que la violencia mata, maltrata, tortura, incendia, exalta, extorsiona, secuestra, etc. Deshumaniza a quien recurre a ella. Deforma criterios éticos, manipula mentes y sentimientos.
Trigésima: Recurrir a todo aquello de lo que podemos disponer: reuniones, cursos, fiestas populares, acciones colectivas para ciertos hechos, prédicas, consignas, análisis, orientaciones, etc., a través de la prensa, radio, etc. ¿Si estamos utilizando todos estos recursos?
Trigésima-primera: Organización de sectores populares para propósitos de crear obras para la comunidad.
Trigésima-segunda: La lucha por la paz es continua. No se detiene. Hay que vigilarla. Es frágil y por esto es indispensable forta-

lecerla permanentemente. Diariamente, necesitamos inventarla. La prevención se vuelve indispensable para que se consolide. Igualmente, su categoría operativa, para que se dinamice.

Trigésima-tercera: Educar para la democracia. Para ejercer este magisterio, no se necesitan aulas. Es una manera de manejar los diferentes actos públicos con el afán de que de cada acción quede consagrado un ejemplo. Busca resolver conflictos sin llegar a la violencia y sólo aplicando las reglas de la convivencia. En Colombia por cierta propensión al sectarismo, y por las fuerzas elementales que se mueven inclusive ante quienes se clasifican como epígonos de nuestra sociedad, estas reglas se olvidan. Realmente, se han predicado menos de lo que ellas demandan para convertirse en actitud plenamente. Como es elemental, es una obligación del gobierno, de los partidos y del simple activista en la vida pública. Poco hacemos los colombianos en este sentido.

Trigésima-cuarta: La lucha contra la violencia debe tener unos claros propósitos. De resto, se puede caer en los mismos vicios del terrorismo. Hay dos enseñanzas que es aconsejable examinar con el objeto de no ir a caer en soluciones que son aberrantes y conducen a peores horas de desolación colectiva. En Italia, se han cometido crímenes sin cuento. Se ha arremetido contra los magistrados, los ministros, los periodistas, los abogados, los hombres de las finanzas. No ha habido límite en la escogencia. Pero no se ha ejercido el terrorismo por parte del estado, como sí sucedió en la Argentina. Y éste engendra nuevos odios que se prolongan en el tiempo de los hechos colectivos, los cuales salen pervertidos. Hay que evitar tomar el camino del país del sur.

Gracias a ustedes por tratar de ayudarnos a entender cabalmente este dramatismo y este dolor de patria que nos inunda a todos en confusión. En confusión y en torbellino de ideas, de aspiraciones, de sueños y, a la vez, de perplejidades.

INDICE

GLOSAS E INDAGACIONES

